文史哲學集成

蕭水順（蕭蕭）著

從鍾嶸詩品到司空詩品

文史哲出版社印行

國立中央圖書館出版品預行編目資料

從鍾嶸詩品到司空詩品 / 蕭水順著. -- 初版.
--臺北市: 文史哲, 民82
面 ; 公分. -- (文史哲學集成 ; 275)
參考書目:面
ISBN 957-547-193-8(平裝)

1. 中國詩 - 歷史與批評 - 南北朝(396-588)
2. 中國詩 - 歷史與批評 - 唐(618-907)

821.83　　82000858

㉗⑤ 文史哲學集成

從鍾嶸詩品到司空詩品

著者：蕭水順（蕭蕭）
出版者：文史哲出版社
登記證字號：行政院新聞局版臺業字五三三七號
發行人：彭正雄
發行所：文史哲出版社
台北市羅斯福路一段七十二巷四號
郵撥〇五一二八八一二彭正雄帳戶
電話：三五一一〇二八
印刷者：文史哲出版社

實價新台幣三六〇元

中華民國八十二年二月初版

ISBN 957-547-193-8

從鍾嶸詩品到司空詩品　目錄

上編：從鍾嶸詩品到司空詩品

下編：司空圖詩品研究

上編：從鍾嶸詩品到司空詩品

第一章　開創詩話先河的鍾嶸

中國評論詩文的典籍，大抵可以分爲五類：一是考究源流，論敍文術，如劉勰的《文心雕龍》；二是品第高下，探溯師承，如鍾嶸的《詩品》；三是備陳法律，提示品式，如釋皎然的《詩式》；四是以類掇聚，旁采故實，如孟棨的《本事詩》；五是體兼說部，淺嚐則止，如劉攽的《中山詩話》。（語本《四庫提要》）。在這五種之中，鍾嶸的《詩品》是最早專就詩之一體而加以評論的專書，開創了後世詩話的先河，我們將以下列四大點來闡明《詩品》一書的價值。

一、鍾嶸的環境

鍾嶸，字仲偉，潁川長社（今河南淮陽縣）人，晉侍中鍾雅的七世孫。《梁書》、《南史》都有傳，但是都不詳細，生卒之年不可考。

嶸跟他的哥哥岏，弟弟嶼，並好學，有思理，齊永明中，爲國子生，明曉《周易》。這是可以見之於史傳的關於他的求學大概，可注意的是「好學」「有思理」這兩點，正是一個卓犖的評論家所該具有的基本素養。好學可以使他見多識廣，不偏一隅，有思理所以能夠品第得當，不至淆亂不清。

齊明帝建武初年，他曾爲南康王侍郎，當時皇帝躬親庶務，綱目繁密，鍾嶸曾上書說：「古者明君揆才頒政，量能授職，三公坐而論道，九卿作而成務，天子可恭己南面而已。」梁武帝天監初年，制度雖有變革而前弊未能盡改，鍾嶸又上書道：「永元肇亂，坐弄天爵，勳非即戎，官以賄就。揮一金而取九列，寄片札以招六校，騎都塞市，郎將塡街。服旣纓組，尙爲臧獲之事，職雖黃散，猶躬胥徒之役，名實淆紊，滋焉莫甚。」從這兩件上書中，一方面可以看出他不喜歡「名實淆紊」，盼望「揆才頒政，量能授職」，所以晚年有三品升降的《詩品》問世，一方面也見出他的才識足以洞見時弊，他的膽識敢以逆意直諫，而這正是一個眞正的批評家所須保有的智能和操守。

後來，衡陽王「元簡」出守會稽，引他爲寧朔記室，專掌文翰。當時居士何胤在若邪山築有一室，有一次山洪暴發，漂拔樹石，只有此室獨存，元簡令鍾嶸作〈瑞室頌〉來旌表它，辭藻典麗。稍後遷西中郎晉安王記室，故後人稱鍾嶸爲「鍾記室」。記室的職責是「專掌文翰」，而鍾嶸的〈瑞室頌〉又獲有「辭甚典麗」的贊語，所以批評家需要極高的文學素養，鍾嶸是完全符合了這個標準。

鍾嶸所處的時代，正是繼漢末、三國、魏晉之後，儒學衰微的時代，風俗敗壞，綱紀廢弛，君王貴族浮奢無度，詩人文士動輒得咎，所以明哲之士尋求保身之道，老莊之學，盛極一時，佛家思想也日益風行，而魏晉清談之風未改，所謂積重難返，變本加厲，正可說明這個時代的變亂紛乘，人心不安，較前更甚。

處在這種苦難時代的詩人文士，本來有著許多「花濺淚」「鳥驚心」的大好題材可以發揮，但是當時人命微賤，詩人文士慘遭殺害，不得其終者甚多，因此這種內憂外患的困阨，不但沒有引發詩人文士的時代感和使命感，反而幫他們走向逃避現實之路，他們的路有三條：

一是縱情山水，所以有田園山水之作。

二是沈緬清談，所以有神仙玄理之作。

三是荒於酒色，所以有唯美宮體之作。

到這時，建安的風力，漢魏的古拙，日趨式微，唯美文學一天一天的茁壯，丁福保的《全漢三國晉南北朝詩》緒言說：「溯自建安以來，日趨於豔。魏豔而豐，晉豔而縟，宋豔而麗，齊豔而纖，陳豔而浮。」以「豔」這個字可以概括地說明了魏晉以下南北朝的詩風，那麼，唯美主義的浪潮是可以想見的了。所以，駢偶對仗，雕琢粉飾，以至於齊梁時代沈約之輩的「聲病」之說一起，藝術至上，唯美第一，造就了難以抵禦的高潮。

唯美文學如火如荼的展開，作者益衆，佳作如林，有著卓越識見的批評家，必定會受到這種盛況的刺激，有意釐定高低，評量清濁。同時，唯美文學發展到了極致，也就走入文學衰微的必然途徑，有識之士爲了挽救此種厄運，挺身而出，力陳時弊，也是必然的事，劉勰的寫作《文心雕龍》，鍾嶸的著作《詩品》，其用意都在於拈提自己的文學觀念，以糾正當時偏頗的風尚。

因此可以說，鍾嶸的著書動機是因爲不滿意當時的創作，最使他不滿意的大約是以下這三件：

一是宮商聲病

二是用典用事

三是繁密巧似

這三件正是唯美主義的重要法寶，鍾嶸能在當時指正出來，可說是慧眼獨具。我們將在討論他的詩觀時一併詳爲探究。

但是，仔細再看《詩品》的序，我們發覺鍾嶸所以著作《詩品》的動機，除了不滿意當時的創作，也由於不滿意當時的批評。那時的批評可以分爲兩類，一類是「出之於口」，這種批評漫無標準，是一種即興式的，印象式的批評，根本沒有什麼價值可言，鍾嶸說：

觀王公搢紳之士，每博論之餘，何嘗不以詩爲口實，隨其嗜欲，商榷不同。淄澠幷泛，朱紫相奪，喧議競起，準的無依。

這類「隨其嗜欲」「準的無依」的「喧議」，自然不是鍾嶸心目中的批評，就在這時候「彭城劉士章，俊賞之士，疾其淆亂，欲爲當世詩品，口陳標榜，其文未遂，感而作焉。」可見鍾嶸是由於不滿當時朱紫相奪，加之劉士章的作品未成，所以有感而作。不過，除了這種隨口而發的論議之外，在當時仍然有專文、專書的批評出現，對於這類「筆之於書」的有系統之作，鍾嶸是否贊成呢？是否滿意呢？他在序中說：

陸機文賦，通而無貶，李充翰林，疎而不切，王微鴻寶，密而無裁，顏延論文，精而難曉，摯虞文志，詳而博贍，頗曰知言。觀斯數家，皆就談文體，而不顯優劣。至於謝客集詩，逢詩輒取，張騭文士，逢文即書，諸英志錄，並義在文，曾無品第。

很顯然的，這些論文、專書，「不顯優劣」「曾無品第」，也為鍾嶸所不取。那麼，鍾嶸理想中的評論專書應該怎樣呢？就讓我們來看看他的《詩品》罷！

二、詩品的體例

前面說過：鍾嶸《詩品》是就詩之一體而加以評論的專書，《詩品》序中又特別指出：「嶸今所錄，止乎五言」也就是說，詩品中所評析的各家詩作皆以「五言」為限，為什麼以五言為限呢？根據分析可以得到兩個理由，第一個理由是：「五言居文詞之要，是衆作之有滋味者也。」鍾嶸以為五言詩不僅最能指事造形，表情達意，而且較諸文約意廣的四言詩更有「滋味」，事實也是如此，五言詩的運用要比四言來得靈活、生動，詩的滋味由此可以衍生。第二個理由是從詩的發展史來看，鍾嶸所處的齊梁時代四言詩幾乎成了絕響，他曾說四言詩「每苦文繁而意少，故世罕習焉」，而七言的詩歌當時仍未萌芽，只有五言詩一枝獨秀，關於五言詩的起源，鍾嶸以為「昔南風之詞，卿雲之頌，厥義敻矣，夏歌曰：『鬱陶乎予心』，楚謠曰：『名余曰正則』，雖詩體未全，然是五言之濫觴也。逮漢李陵，始著五言之目矣。」把五言詩的起源推溯到三代之時，很顯然的，他所指的只是「五言」這樣的句子在《尚書》、《離騷》中已可發現，但做為「詩體」卻仍然「未全」，要到蘇李贈答時才算眞正有了完全的五言詩。至於五言詩發展的盛況，也可以錄他序中的一段話來看：「降及建安，曹公父子，篤好斯文，平原兄弟，鬱爲文棟，劉楨王粲，爲其羽翼，次有攀龍託鳳，自致於屬車者，蓋將百計，彬彬之盛，大備於時矣。」所以他在序中曾列舉了幾個人名，以爲「斯皆五言之冠冕，文詞之命世也」，舉了二十幾首詩作名，以爲「斯皆五言之警策者也」。五言詩這樣發達，鍾嶸當然很自然的以五言詩做爲品第的對象了。這是《詩品》的第一個體例。

就這個體例來看「曹公屈第乎下」，並沒有不公的地方（王世貞《藝苑卮言》，王士禎《漁洋詩話》都曾爲曹操被列於下品而叫屈）。因爲曹孟德在五言詩最盛行的時候，仍然勤於寫作四言之詩，而且評價極高，但他的五言詩寫得就比不上四言高明，鍾嶸爲了體例的關係，取用曹孟德的五言詩來品第，只好要他屈居下品了。

這第一個體例是就詩體而定，爲了求得一個可以公平銓衡的準則，所以選擇了五言詩。接著的問題是：選擇什麼時期的五言詩？依據《詩品》序的看法是：「其人既往，其文克定，今所寓言，不錄存者。」這正是它的第二個體例。根據這個體例可以確知《詩品》的寫定時間，應該是在梁武帝天監十二年（西元五一三年）以後，因爲書中所列諸人中卒年可知的，以沈約的卒年最晚（即武帝天監十二年），《詩品》的完成似乎得在沈約卒後，才不至於自亂體例。

《南史》〈鍾嶸傳〉有記載：「嶸嘗求譽於沈約，約拒之，及約卒，嶸品古今詩爲評言其優劣云：『觀休文衆製，五言最優，齊永明中，相王愛文，王元長等皆宗附約，於時謝朓未遒，江淹才盡，范雲名級又微，故稱獨步，故當辭密於范，意淺於江。』蓋追宿憾，以此報約也。」如果眞有此事，則鍾嶸算不得是一個大批評家，《詩品》的價值也就需要大打折扣了。其實就上面所言的第二個體例來研究，詩品的定稿期跟沈約的卒年最爲相近，或許是因爲鍾嶸有意將沈約納入他的詩品中，所以才遲遲等到沈約卒後才定稿，一則尊重沈約乃當時詩壇的祭酒，一則不壞了他「不錄存者」的規範。同時，根據後人對沈約詩的批評，沈約並沒有得到多高的讚譽，王世貞的《藝苑巵言》還說他「濫居中品」，可見鍾嶸了無懷恨之心。再說，沈約昌言「聲病」，鍾嶸力求「眞美」，志不同，道不合，不相爲謀，也是必然的事，何必說報復呢？

鍾嶸《詩品》「不錄存者」，他的理由正在於「其人既往，其文克定」，我們常說「蓋棺論定」，至少就藝術創作方面來言，其人既往，然後對他的作品才能有全盤的認識。有些人是大器晚成，有些人是晚年思想丕變，實在無法從他目前的成就來斷定日後的發展，《詩品》不錄存者，正見出批評家謹愼而公平的懷抱。有人以爲「不錄存者」是爲了免除人情的困擾，若是眞能了解鍾嶸兩度上書犯意直諫的勇氣，或者不會說他不願面對現實吧！

以「止乎五言」爲經，以「不錄存者」爲緯，接著鍾嶸如何界定這些人的位置呢？這就要談到《詩品》的第三個體例——中國文學批評史上空前絕後的「三品升降」。

在還未界定三品之前，鍾嶸先要經過一番披沙揀金的功夫，原來他就有「預此宗流者，便稱才子」的意思，因此第一步需要在衆作之中挑選出值得「預此宗流者」，然後再加以品第甲乙，這兩步工作，實際上就是批評的工作，《梁書》稱鍾嶸的著作爲《詩評》，《隋書》〈經籍志〉復以詩評著錄，《唐書》〈藝文志　亦然。後來雖然以《詩品》名世，但他的評判功夫仍然值得給予最大的注意。

品第甲乙的方法，鍾嶸自己說是得之於「九品論人，七略裁士」，序又云彭城劉士章「欲爲當世詩品」，可知鍾嶸是有所本的，劉士章雖然欲爲當世詩品，但是「其文未遂」，鍾嶸仍然是唯一以品第等倫做爲評詩方法的人。羅根澤的《魏晉六朝文學批評史》以爲這也是當時的一種風氣，他指出：「庾肩吾有書品，分爲上上，上中，上下，中上，中中，中下，下上，下中，下下九品。謝赫有古畫品，分爲六品。沈約有棊品，現在止存序文，分爲若干品不可考（俱見《全梁文》）。」但是詩文方面卻不見有人應用，所以《詩品》序曾經指出陸機《文賦》等「不顯優劣」，謝客集詩等「曾無品第」，從積極的意義來看，鍾嶸開始以這種品第的方法來詮定詩人了。

鍾嶸列上中下三品詩人，誠然是他的創見，但也引起後人的不服，如：

(1)王世貞《藝苑巵言》：邁、凱、昉、約，濫居中品，至魏文不列乎上，曹公屈第乎下，尤爲不公。

(2)王士禎《漁洋詩話》：嶸以三品銓敍作者，自譬諸九品論人，七略裁士，乃以劉楨與陳思幷稱，以爲文章之聖，夫楨之視植，豈但斥鷃之與鯤鵬耶？又置曹孟德下品，而楨與王粲反居上品。他如上品之陸機、潘岳，宜在中品。中品之劉琨、郭璞、陶潛、鮑照、謝朓、江淹，下品之魏武，宜在上品。下品之徐幹、謝莊、王融、帛道猷、湯惠休，宜在中品。而位置顛錯，黑白淆譌，千秋定論，謂之何哉?建安諸子，偉長實勝公幹，而嶸譏其「以莛扣鐘」，乖反彌甚。

這種勉強納入三品的批評方法，是爲了顯優劣，見品第，在沒有發現更好的辦法以前，暫時以上中下三品來裁分，仍然不失爲良策。鍾嶸自己定下這個方法的時候，他也知道不能完全符合人意，因爲時代的風尚不同，個人的興趣迥異，如何能達到此種理想呢?所以他說：「至斯三品升降，差非定制，方申變裁，請寄知者爾。」他自己並未肯定這是「定制」，只冀望眞正了解他的詩觀的人能欣賞他的「分列式」罷了!鍾嶸這點自知之明，也可從他論列張華詩所說的話：「今置之中品疑弱，處之下科恨少，在季孟之間矣。」看出來，要非常果斷地將人列入某品，確實不是簡單而易行的事，即使同在一品之中，仍然有優劣之分，但鍾嶸放棄了這種更細密的裁分，他說：「一品之中，略以世代爲先後，不以優劣爲詮次。」因此，同在一品中的詩人，他改爲敍述性的比較，而不硬性加以劃分，如論曹植時他說：「故孔氏之門如用詩，則公幹升堂，思王入室，景陽、潘、陸自可坐於廊廡之間矣!」如論王粲說：「方陳思不足，比魏文有餘」，從這樣的敍述性比較，自然也見出同品中詩人的高低。

基此再來看王士禎的評語，自然會覺得他的話有欠允當，朱東潤《中國文學批評史大綱》曾言：「即如原書綜論，重在五言，曹公之作，必改列上品，寧能舉五言之詩，爲之佐證?又如彭澤之詩，仲偉稱爲『古今隱逸詩人之宗』，推許至此，殆難復過，劉勰論文，才略一篇不聞言及陶公，昭明之序，義盛稱彭澤，此又後起之論，以斯而言，嶸之巨眼，固可知矣，翻以一節見罪，豈得曰平!」在這之前，《四庫提要》也曾指出：「梁代迄今，邈踰千祀，遺篇舊製，什九不存，未可掇拾殘文，定當日全集之優劣。」《四庫提要》的最後兩句話實在值得好疑古的人三復斯言。即使撇開理論不談，王漁洋以爲「陸機、潘岳，宜在中品。中品之劉琨、郭璞、陶潛、鮑照、謝朓、江淹，下品之魏武，宜在上品。下品之徐幹、謝莊、王融、帛道猷、湯惠休，宜在中品。」是否也能成爲定論，令人折服呢？不無疑問。三品升降是一種橫的比較，相對於「橫的比較」的就是「縱的比較」，所謂縱的比較乃從歷史的觀察來推求詩人的師承，此種溯流探源的工作正爲《詩品》的第四個體例。這個體例在序中未曾言及，而是在列評各家詩作時，每每提到「原出」、「頗似」、「祖襲」、「憲章」等字詞，著重在探求詩家淵源，淵而成爲詩品的一個重要體例。

最宜注意的是他在評介上品詩人時，開頭就是「其原出於某某」，上品十一人（不計古詩），每人都有個淵源，中品三十九人，有魏文帝、嵇康、張華等十二三人言及師承，下品七十二人，只有「檀謝七君，並祖襲顏延之」一句。這個現象意味著什麼呢？第一，他指出處居上品的詩人，顯然都有所祖襲，其來有自，而這種淵源追究到底，不外乎國風和楚辭（小雅只影響阮籍），換句話說，國風和楚辭是五言詩最高的一個範本，而且代表著兩個不同的「風格」。第二，他強調凡是有淵源的詩人較諸淵源不明的詩人詩作優越，譬如中品裏的曹丕、郭璞、陶潛、鮑照、謝朓等人，比起其他的人評語顯然是較爲推崇。第三，他有意暗示上品影響中品，中品影響下品的這種「師承」關係，譬如：上品的曹植淵源於國風，陸機、謝靈運又同出於曹植，中品的顏延之則原出於上品的陸機，而下品的檀謝七君，並祖襲顏延之，這種師承關係一定是上品影響中品，中品影響下品，頂多是同品之中而有先後淵源的關係，不可能是上品取法於中品，中品取法於下品。

但是，這種溯流探源的「縱的比較」工作，也同三品升降的「橫的比較」一樣，受到後人的指責：

(1)葉夢得《石林詩話》卷下：梁鍾嶸《詩品》論陶淵明，以爲出於應璩，此說不知其所據。應璩不多見，惟《文選》載其百一詩一篇，所謂「下流不可處，君子愼厥初」者，與陶詩遠不相類。

(2)沈德潛《說詩晬語》卷上：陶公以名臣之後，際易代之時，欲言難言，時時寄託，不獨詠荊軻一章也，六朝第一流人物，其詩自能曠世獨立，鍾記室謂其原出應璩，目爲中品，一言不智，難辭厥咎已。

所以受到這樣的譏詬，主要在於「硬性」指出某人淵源於某人。無可否認，文學總是受著前人和同時代人的影響，但是此種影響不是限於某一個人，或某一本書，而是廣泛地受到滋養，況且此種影響或隱或顯，根本不能硬性指定淵源。最重要的是文學貴在創造，文學大家即使是受了前人的影響，也必須突破重繭，走出自己的路來，指名某人受某人影響，自然引起其欣賞者的不滿。

後人責詬鍾嶸的溯流探源，重點一直放在「陶潛原出應璩」這點，其實如葉夢得所言：「應璩不多見，惟文選載其百一詩一篇」，如何能掇拾殘文，定當日全集之淵源非爲如此？再如沈德潛言陶潛爲「六朝第一流人物，其詩自能曠世獨立」，這也算執迷未悟者，因爲獨步千古的人不一定就無所師承，而且所謂淵源、師承，也不一定只是有意的摹倣。所以，如果以較爲超然的態度來看鍾嶸「原出」「祖襲」的眞義，應該是指著內容或風格的大體相近，能了了辨明〈國風〉與《楚辭》的語言、形式、內容、風格的相異處，然後可以知道後世詩人所承襲的只是其中的一體二體而已。譬如唐詩，杜甫是大家，白居易學其社會寫實這一體，孟東野開其冷僻奇險這一派，李義山蹈其唯美華靡這一途，他們這三種了不相類的風格可以說都是淵源於杜甫一人，必須了解到杜甫衆體兼備，衆妙具陳的大家風範，而後可以窺探到後世詩人的淵源所自。換言之，即使是同出一源，也無法證明他們必然有著相似的形貌或相似的神髓。

前面說過，溯流探源是鍾嶸在品藻各家詩作時所用的方法之一，這一批評方法為其他批評家所罕用，故特別舉出，以爲《詩品》的一大體例。此外，鍾嶸在評騭的方法應用上，據分析可以得出以下四種方法，這四種方法構成《詩品》的第五個體例。玆分述如次：

(1)論斷：文學批評無法完全客觀，論斷的主觀是不可或免的，鍾嶸在品第等倫之後，企圖以最精簡的話語，理清詩人的風貌，舉出三例，可見一斑：①論陳思：「骨氣奇高，詞采華茂，情兼雅怨，體被文質，粲溢今古，卓爾不群。」②論陶潛：「文體省淨，殆無長語，篤意眞古，辭興婉愜，每觀其文，想其人德，世嘆其質直。」③論魏武「曹公古直，甚有悲涼之句。」眞所謂言簡意賅。

(2)引述：評論文學若是一味出之以論斷，易於招致觀者的反對，因此，引述他人見解以支持自己的觀點，乃爲勢所必須，《詩品》中引述他人評語的地方屢見不鮮。如論潘岳，引謝混的話說：「潘詩爛若舒錦，無處不佳。」論張華，引謝康樂的評語：「張公雖復千篇，猶一體耳。」大抵可以看出一個傾向，那就是：越是優越的詩人，鍾嶸必然引用較有名氣的文學家的評語，而且總以褒揚爲主，反之則否。

(3)比較：《詩品》既列三品，仍覺無法明確地顯出優劣，見出等第，因而濟之以比較之方。如論王粲：「在曹劉間，別構一體。方陳思不足，比魏文有餘。」比較石崇、曹攄、何劭時他說：「季倫、顏遠，並有英篇，篤而論之，朗陵爲最。」論沈約時以爲「詞密於范，意淺於江」。爲毫無變通的三品取詩，開闢了一條生路。

(4)舉例：論評之作，舉例說明是最直捷了當，而且最能令人折服，《詩品》自然也應用了這種手法。談到郭璞的遊仙詩，他說：「遊仙之作，詞多慷慨，乖遠立宗。其云『奈何虎豹姿』，又云『戢翼棲榛梗』，乃是坎壈詠懷，非列仙之趣也。」提到淵明質直，他說：「至如『歡言酌春酒』，『日暮天無雲』，風華清靡，豈直爲田家語耶！」雖舉例不多，但已足以見出《詩品》體例的嚴謹。

體例嚴謹，僅僅顯示做爲批評家的鍾嶸有著科學的分析和組織能力，並不能顯示他卓犖的才識和傑出的見解，繼續深入探求批評家的靈魂深處，才能眞正了解《詩品》一書的價值何在。

三、鍾嶸的詩觀

討論鍾嶸的詩觀，我們可以先就消極方面——他最不滿意的三項當時流行的創作風尙，作爲引子。

一是宮商聲病

自從魏世李登作《聲類》十卷，晉代呂靜作《韻集》五卷，聲韻之學正式興起，隋書潘徵傳說：

「李登聲類，呂靜韻集，始判清濁，纔分宮羽。」這時的聲韻學止論五音，到了齊梁之間，又有周顒的《四聲切韻》，沈約的《四聲譜》問世，四聲八病之說，因此大盛。《南齊書》〈陸厥傳〉記載：「永明末，盛爲文章。吳興沈約，陳郡謝朓，琅邪王融，以氣類相推轂；汝南周顒，善識聲韻。約等文皆用宮商，以平上去入爲四聲，以此制韻，不可增減，世呼爲永明體。」這種四聲八病的論調，要求「五字之中，音韻悉異，兩句之內，角徵不同」，逼使詩人注重外在的聲韻，往往斲傷了詩的本質。當時風起雲湧，銳不可當，從劉勰的《文心雕龍》〈聲律篇〉也頗附和沈約謝朓等人的主張，即可見出。惟有鍾嶸慧眼獨具，大加駁斥，他在詩品序中說：

> 昔曹劉殆文章之聖，謝陸爲體貳之才，銳精研思，千百年中，而不聞宮商之辨，四聲之論。或謂前達偶然不見，豈其然乎？嘗試言之，古曰詩頌，皆被之金竹，故非調五音無以諧會，若「置酒高堂上」、「明月照高樓」爲韻之首。故三祖之詞，文或不工，而韻入歌唱，此重音韻之義也，與世之言宮商異矣。今既不被管絃，亦何取於聲律耶！

首先他指出四聲五音本爲先賢前達所有，而且可以披之管絃，但不是當時所昌言的四聲八病，宮商五音，而是能夠合於自然金竹的音韻。接著他又暴白當時的聲病之說束縛了詩作的眞正意趣，序云：

> 齊有王元長者，嘗謂余云：「宮商與二儀俱生，自古詞人不知之。惟顏憲子乃云『律呂音調』，而其實大謬，惟見范曄、謝莊頗識之耳。常欲進知音論未就。」王元長創其首，謝朓、沈約揚其波。三賢或貴公子孫，幼有文辯，於是士流景慕，務爲精密。襞積細微，專相凌架，故使文

多拘忌，傷其眞美。余謂文製本須諷讀，不可蹇礙，但令清濁通流，口吻調利，斯爲足矣。至平上去入，則余病未能，蜂腰鶴膝，閭里已具。

鍾嶸以爲聲律的限制「襞積細微，專相凌架」，所以「文多拘忌，傷其眞美」，這是他反對宮商聲病的最大理由，他反對的就是這種違反自然，矯揉造作的束縛。如果是合乎自然的音律，譬如可以「被之金竹」、「韻入歌唱」的節奏，他並不反對，他說：「文製本須諷讀，不可蹇礙，但令清濁通流，口吻調利，斯爲足矣。」很明顯的，詩作要諷讀，不能佶屈聱牙，但也不必求什麼平頭上尾，浮聲切響，只要能夠清濁通流，口吻調利，也就可以了。所以他評張協時以爲：「詞采葱蒨，音韻鏗鏘，使人味之，亹亹不倦。」而將張協列於上品。那麼，在聲律方面鍾嶸所反對和所贊成的，可以判然而分了。

二是用典用事

唯美文學字句雕琢，駢儷對偶，不能不求之於歷史典故，詩品序曰：「顏延謝莊，尤爲緐密，于時化之，故大明泰始中，文章殆同書抄。近任昉王元長等，詞不貴奇，競須新事，爾來作者，寖以成俗。遂乃句無虛語，語無虛字，拘攣補衲，蠹文已甚。」字字句句皆求與典實有關，在聲病的束縛之後，又講求用典隸事，爲文作詩益顯拘束，這樣的「拘攣補衲」自然是他反對的，他以爲詩是在吟詠情性，吟詠情性當以直抒胸臆爲佳：

至乎吟詠情性，亦何貴於用事？「思君如流水」，既是即目；「高台多悲風」，亦惟所見；「

清晨登隴首」，羌無故實：「明月照積雪」，詎出經史？觀古今勝語，多非補假，皆由直尋。

評顏延之時，他說：「喜用古事，彌見拘束，雖乖秀逸，是經綸文雅才，雅才減若人，則蹈於困躓矣。」評任昉說：「昉既博物，動輒用事，所以詩不得奇。少年士子，效其如此，弊矣！」像顏延之、任昉有「經綸文雅才」，而且能「博物」，就因爲動輒用古事，所以「彌見拘束」，「詩不得奇」，只能列入中品。才學不夠的人，也效其喜用古事，只有死路一條（弊矣！）

但是，鍾嶸反對用典用事，是站在詩是吟詠情性這點，「若乃經國文符，應資博古，撰德駁奏，宜窮往烈」，似乎也是天經地義，無可厚非的。從這裡或可看出鍾嶸對詩所持的態度如何。

最重要的一點，鍾嶸並非堅持己見，冥頑不靈的人，對於用典用事這點，他曾說：「自然英旨，罕值其人，詞既失高，則宜加事義。」那麼，用典用事不是不可以，應用之妙，存乎一心，只要不是濫用事典，不求「句無虛語，語無虛字」。宜加事義，使詞不失高，必是可行之道。有了這樣的見解，才更見出鍾嶸詩觀的可貴。

三是繁密巧似

繁密巧似就是雕琢，《詩品》卷中評鮑照說：「貴尚巧似，不避危仄，頗傷清雅之調」，評謝朓說：「微傷細密，頗在不倫」，序中曾言：「顏延謝莊，尤爲繁密」。可以說，中下品詩人的缺點大抵不出於此，如張華、顏延之、鮑照、謝朓、宋孝武帝、謝莊等人，皆雕文織綵，過爲精密。過於精密，就會傷害到詩的自然之美，所以莊子深非「儵」「忽」兩帝爲「渾沌」開鑿七竅，多開一竅，就多跨近死亡的界線一步，這正是鍾嶸所要大加撻伐的。

宮商聲病，用典用事，繁密似巧，無一不是斲傷自然眞美的刀斧，由這三件鍾嶸深不以爲然的時尙來看，鍾嶸所崇尙的乃「自然」兩字，「自然」正是貫串鍾嶸詩觀的一個基本概念。

以上是從消極的駁斥見出他對自然的要求，接著將以三說來看鍾嶸積極樹立的自然詩觀。

(1)情性之說

從「詩言志，歌永言」的說法開始，詩以吟詠情性爲主，可說是最爲踏實而不可移易。鍾嶸《詩品》序曾大力倡言的也正是這點：

> 若乃春風春鳥，秋月秋蟬，夏雲暑雨，冬月祁寒，斯四候之感諸詩者也。嘉會寄詩以親，離群記詩以怨。至於楚臣去境，漢妾辭宮；或骨橫朔野，或魂逐飛蓬；或負戈外戍，殺氣雄邊；塞客衣單，孀閨淚盡；或士有解佩出朝，一去忘返；女有揚蛾入寵，再盼傾國。凡斯種種，感蕩心靈，非陳詩何以展其義，非長歌何以騁其情？故曰：「詩可以群，可以怨。」使窮賤易安，幽居靡悶，莫尙於詩矣！

齊梁之世，形文聲文特別發達，鍾嶸力排衆議，以情文爲重，實不可多得。他重視性情，除了上面這段話外，從序的開頭就說：「氣之動物，物之感人，故搖蕩性情，形諸舞詠。」也可見出。而且《詩品》所評，止乎五言，關於五言詩，鍾嶸以爲「指事造形，窮情寫物，最爲詳切者」。所以鍾嶸的取詩，情性占一極大之左右力量。

詩既是吟詠情性，那又「何貴於用事」！聲病宮商，用事用典，繁密巧似，都是詩的外在形成，人爲的技巧，當然爲他所不取。

上品詩人中，如李陵是「文多悽愴怨者之流」，班婕妤是「出旨清捷，怨深文綺」，阮籍是「言在耳目之內，情寄八荒之表」，都是深於性情，因情生文，而得到鍾嶸的激賞。

由於主張性情之說，對於清談玄理之作，自然覺其「淡乎寡味」，不能「動天地，感鬼神」了。《詩品》序云：「永嘉時，貴黃老，稍尚虛談，于時篇什，理過其辭，淡乎寡味。爰及江表，微波尚傳，孫綽許詢，桓庾諸公，詩皆平典似道德論。」鍾嶸一方面蔑絕豔縟的習尚，一方面唾棄平典似道德論的永嘉詩風，這兩者一個傷害了「情性」的自然，一個卻遠離了「情性」的感應，所以都在駁斥之列。

鍾嶸反對黃老，是反對「理過其辭，淡乎寡味」，理過其辭，則其性情受到抑制無法自然發抒，淡乎寡味，則其滋味寡少而不能充盈濃厚，那麼，詩的滋味到底是怎樣呢？

(2)滋味之說

《詩品》序曾言：「五言居文詞之要，是衆作之有滋味者也。」鍾嶸止錄五言詩，這是最好的一個理由。問題在於怎樣才能說是有「滋味」？《詩品》序云：

詩有三義焉：一曰興，二曰比，三曰賦。文已盡而意有餘，興也；因物喻志，比也；直書其事，寓言寫物，賦也。宏斯三義，酌而用之，幹之以風力，潤之以丹采，使味之者無極，聞之者動心，是詩之至也。若專用比興，患在意深，意深則詞躓。若單用賦體，患在意浮，意浮則文散，嬉成流移，文無止泊，有蕪漫之累矣。

鍾嶸解釋「賦比興」有別於衆家之說，他說賦是「寓言寫物」，說興是「文已盡而意有餘」這兩點正是滋味之所由生。通常論「賦」只說是「直陳其事」，鍾嶸更進一步，在直書其事時，還要注意寓言寫物，「寓言」「寫物」，所以能曲盡其中的神妙，滋味可以由此獲取。通常論「興」是說「先言他物以引起所詠之辭」，鍾嶸則別創一說，以爲「文已盡而意有餘」才叫做興，很顯然的，滋味就在言已盡而意有餘之中。

滋味說影響了後來司空圖、嚴滄浪這一統系的詩觀。司空圖論詩書曾提及「鹹酸之外」、「韻外之致」、「味外之旨」和「象外之象，景外之景」，可以說是這種「言盡意餘」的滋味說的擴充。嚴羽的《滄浪詩話》則以爲：「盛唐諸人，惟在興趣，羚羊掛角，無迹可求，故其妙處，透澈玲瓏，不可湊泊，如空中之音，相中之色，水中之月，鏡中之象，言有盡而意無窮。」這裡的「興趣說」不就是「滋味說」更進一步的發展嗎？

《詩品》卷上論阮籍〈詠懷〉之作時曾說：「言在耳目之內，情寄八荒之表，洋洋乎會於風雅，使人忘其鄙近，自致遠大，頗多感慨之詞。厥旨淵放，歸趣難求。」所謂「歸趣難求」就是滋味說的一個應用批評。同卷論陸機則以爲「尚規矩，不貴綺錯，有傷直致之奇。然其咀嚼英華，厭飫膏澤，文章之淵泉也。」也正是以「滋味說」爲準的之評語。

詩的三義之中，除了「賦」「興」之外就是「比」，鍾嶸釋比爲「因物喻志」，也較常人「以彼物喻此物」的說法更進一步，以彼喻此，只是物與物間的關係，因物喻志，則深入探求物與情性的關係。就這點來看羅根澤《魏晉六朝文學批評史》第九章所說的「鍾嶸則創唯物的起源說」的論見，其中不無問題。羅氏以爲「寫景詩必有外界景物的感召，寫情詩必有親身的事實的蕩觸；否則因無感應，不能『搖蕩性情』，自然更無從『形諸舞詠』了。」他結論說：「鍾嶸是以爲詩的衝動，完全仰賴客觀的感召，所以是唯物一元說。」實則，注意「因物喻志」的主客關係，大抵可以不必固執鍾嶸是主張唯物的起源說了。同時，「因物喻志」，就不至於理過其辭，淡乎寡味，這也正是滋味說所要求的。

然而，要眞正達及「滋味」的衍生，鍾嶸以爲必須「宏斯三義，酌而用之；幹之以風力，潤之以丹采」。賦比興三義要能斟酌倂用，不能專用比興，也不能單用賦體，否則就有詞躓或文散之病，並且要注意內在的風力和外在的丹采，然後才能「使味之者無極，聞之者動心」，這樣的「滋味說」面面俱到，不是專重辭藻或聲病的唯美文學所能望其項背，因此可以言有盡而意無窮了。

(3)雅正之說

鍾嶸論詩，雅正也是一項重要的原則。《詩品》序云：「陳思爲建安之傑，公幹、仲宣爲輔；陸機爲太康之英，安仁、景陽爲輔；謝客爲元嘉之雄，顏延年爲輔；斯皆五言之冠冕，文詞之命世也。」這種主輔之分，大抵是以雅正爲其準則，蓋〈國風〉較諸《楚辭》、〈小雅〉更加雅正，而曹植、陸機、謝靈運皆源出於國風，故爲各時代的精英。

即在品詩時亦然，下品詩人惟檀謝七君明白指出他們的祖襲，大概就是他們「得士大夫之雅致」的緣故吧！論阮籍詩說：「洋洋乎會於風雅，使人忘其鄙近，自致遠大。」論應璩詩說：「指事殷勤，雅意深篤。」都是以「雅正」爲貴。從反面來指責有失雅正之旨的，譬如稱嵇康「訐直露才，傷淵雅之致」，說鮑照「不避危仄，頗傷清雅之調」，總是以雅正爲最後的依歸。這或許就是鍾嶸寫作詩品，以力挽狂瀾，一歸於正的深義吧！

鍾嶸消極的駁斥聲病，事典，繁密之病，樹立起自然的詩觀，同時就自然的情性，以衍生自然的滋味，因而追求自然的最高鵠的——雅正，其間的脈絡是較爾可見的了。

四、詩品的地位

後人批評《詩品》一書的價值，不外乎就詩品的「三品升降」和「溯流探源」加以討論，關於這兩點，前面「詩品的體例」中已經有所說辨，不再贅敍。眞正能了解《詩品》的價值，要算章學誠《文史通義》〈詩話篇〉所說的：

詩品之於論詩，視文心雕龍之於論文，皆專門名家，勒爲專書之初祖也。文心體大而慮周，詩品思深而意遠；蓋文心籠罩群言，而詩品深於六藝溯流別也。論詩論文而知溯流別，則可以探源經籍，而進窺天地之純，古人之大體矣。

《歷代詩話續編》序也說：「詩話之興，源於作者漸夥，第靡無制，遂昧流別，若防訛濫，必判雅鄭，攝之檢括，統爲一書，則鍾仲偉詩品是已。」鍾嶸和《詩品》在中國文學批評史上的地位，由此約可確定。

第二章 《本事詩》與《主客圖》

鍾嶸開創了後世詩話的先河，但他在《詩品》書中所應用的各種批評方法，譬如文學和批評理論的議述，師承流派的指陳，以及褒貶優劣的評騭等等，並沒有直接影響後代寫作詩話的人。也就是說，鍾嶸以後的詩話著作，大抵欠缺他那種嚴密的體例，精詳的論評。眞正成爲宋代以後各家詩話範本的，卻是唐人的兩本著作，一是孟啓的《本事詩》，一是張爲的《主客圖》。這兩本書的寫作方式影響後人「詩話」甚大。

先談《本事詩》

《本事詩》的作者通常題爲「孟啓」，《四庫提要》說：「新唐書藝文志載此書，題曰孟啓，毛晉津逮秘書因之，然諸家稱引，竝作棨字，疑唐志誤也。」余嘉錫先生《四庫提要辨證》則以爲「考各家刻本，皆作孟啓，不獨毛氏爲然，宋史藝文志，書錄解題，亦皆作啓，獨通志藝文略及讀書志作棨耳。二字形聲相近，未詳孰是。」這是作者名字無法定案的原由。

關於孟啓生平，《四庫提要》提供了一點資料：「棨字初中，爵里未詳。王定保唐摭言，稱棨出入場籍，垂三十餘年，年稍長於小魏公，其放榜日出行曲謝云云，則嘗於崔沆下登第，書中韓翃條內，稱開成中，余罷梧州，亦不知爲梧州何官。」

《四庫提要辨證》又加以補充說：「提要知棨字初中者，蓋據郡齋讀書志卷二十，引僞吳處常子續本事詩自序，有比覽孟初中本事詩之語也。此書有顧氏文房小說本，津逮秘書本，其自序末題曰：『光啓二年十一月，大駕在褒中，前尚書司勳郎中賜紫金魚袋孟啓序』（古今逸史本無序）。書錄解題卷十五亦曰：『本事詩一卷，唐司勳郎中孟啓撰』，官爵明白如此，提要既見津逮秘書本，又嘗引此序，而以爲爵里未詳，不可解也。」

《四庫提要辨證》，是目前所能得到的敍說孟啓生平的唯一資料，雖然寥寥數語，卻覺得非常珍貴。

「津逮秘書本」《本事詩》有孟啓不到兩百字的自序，序中表明他「爲何」寫本事詩和「如何」寫本事詩。首先他指出的是著作本事詩的因由：

> 詩者，情動於中，而形於言，故怨思悲愁，常多感慨。抒懷佳作，諷刺雅言，著於群書，雖盈厨溢閣，其間觸事興詠，允所鍾情，不有發揮，孰明厥義？因採爲本事詩。

孟啓對詩的基本看法由此可以獲知。「情動於中，而形於言」是詩序上的話，也是中國傳統詩學探討上最根本的一個觀念，稱之爲「詩學正源」，實非過譽。很顯然的，「詩者，志之所之」的旨義，是歷代詩人所最勇於肯定和服膺的。

但孟啓最重要的一個詩觀是：「觸事興詠，尤所鍾情」，我們在前篇曾提到羅根澤所說的「寫景詩必有外界的景物的感召，寫情詩必有親身的事實的蕩觸」，或者可以做爲「觸事興詠」的一個註脚。在孟啓心中，詩歌的吟詠如果是因爲事物的感觸而引發，更能夠盡心凝聚感興而加以揮灑。所以，「觸事興詠」和「尤所鍾情」可以說是同時間的事，如果只「觸事」而不「鍾情」，就有枯窒無味的弊端，如果不「觸事」而只「鍾情」的話，也難免流移無累的禍害。仔細再權衡兩者，「事」與「情」之間，仍然是以後者爲重，孟啓說是「觸事興詠，尤所鍾情」，很明顯的，若是不觸事而能興詠，當然也需要鍾情。準此，我們對詩的觀念必定會有更清晰的認識了。

基於上述的認識，我們舉出李義山的〈錦瑟〉詩來看：

錦瑟無端五十弦，
一弦一柱思華年，
莊生曉夢迷蝴蝶，
望帝春心託杜鵑。
滄海月明珠有淚，
藍田日暖玉生烟，
此情可待成追憶，
只是當時已惘然。

我們不難承認這是一首好詩，眞所謂「怨思悲愁」的作品，也就是說，錦瑟確爲鍾情之作，但自古以來聚論紛紜，莫衷一是，問題即在於這首詩繫乎何事，不知所繫何事，也就無法確知他的眞正涵指，不得不「獨恨無人作鄭箋」了。所以孟啓《本事詩》自序說：「不有發揮，孰明厥義？」孟啓採爲本事詩，旨在幫助後人了解詩本事，塡補詩人與讀者之間的鴻溝。

孟啓的用意至善，那麼他寫作本事詩的方法又怎樣呢？根據「自序」，他說：

> 凡七題，猶四始也：情感，事感，高逸，怨憤，徵異，徵咎，嘲戲，各以其類聚之，亦有獨掇其要不全篇者，咸爲小序以引之，貽諸好事。其有出諸異傳怪錄，疑非是實者，則略之，拙俗鄙俚，亦所不取。

《本事詩》以七題歸類，其中〈情感第一〉輯有十二條，其餘各題僅三五條而已。茲錄「情感」類中一則，以見全書之大概：

> 寧王曼貴盛，寵妓數十人，皆絕藝上色。宅左有賣餅者妻，纖白明媚，王一見注目，厚遺其夫取之，寵惜逾等。環歲，因問之：汝復憶餅師否？默然不對。王召餅師使見之，其妻注視，雙淚垂頰，若不勝情。時王座客十餘人，皆當時文士，無不悽異，王命賦詩，王右丞維詩先成：
>
> 「莫以今時寵，寧忘昔日恩，看花滿眼淚，不共楚王言。」

自序言「異傳怪錄」「拙俗鄙俚」，皆所不取，所以七題中雖有「徵異」「徵咎」「嘲戲」等目，均能嚴守「不語怪力亂神」的態度，頗能見其眞誠和敬謹的胸襟。自序又言各類「咸爲小序以引之」，今日所見各本都已亡佚，否則，更可以見出孟啓對詩所持的觀點了。

《四庫提要》曾言《本事詩》的價値在於「唐代詩人軼事頗賴以存，亦談藝者所不廢也。」唐人筆記小說發達，如范攄的《雲溪友議》也是以筆記體刊行於世，實則正是詩話的規模；孟啓生在晚唐時代，約與司空圖同時(《本事詩》〈徵咎第六〉曾言「公諫議大夫司空圖爲注之」)，接受時潮的影響，重視詩的本事，不容懷疑，但他在記敍事類時，有「歸類」的科學組織能力，有「觸事興詠，尤所鍾情」的中心思想，較諸《雲溪友議》更具價値，而成爲宋代詩話的藍本。

《本事詩》純粹旁採故實，分類掇聚，宋代以後的詩話，也以臚陳詩本事爲主，就是直接模倣了《本事詩》的寫作方式，這正是它的價値所在，但凡事有得必有失，雖然《本事詩》爲讀者提供了事義，便於欣賞，但宋人詩話因此失於散漫無章，有的幾無中心思想和寫作體系可言，不能不歸咎於這種筆記體詩話的始作俑者。

孟啓《本事詩》之後，又有幾種《續本事詩》問世，據今所能得到的資料，有以下三種：

(1)處常子的《續本事詩》：前面提到余嘉錫先生《四庫提要辨證》時曾說：「提要知棨字初中者，蓋據郡齋讀書志卷二十，引僞吳處常子續本事詩自序。」《郡齋讀書志》是宋人晁公武所撰，其卷二十總集類著錄《續本事詩》二卷，其言曰：「處常子撰，未詳其人，自有序云：『比覽孟初中本事詩，輒搜篋中所有，依前提七章，類而編之。』然皆唐人詩也。」可以知道他也是依「情感」等七題加以編輯，而且專以唐人詩爲其對象。孟啓《本事詩》則有「樂昌公主」，「宋武帝」兩條爲六朝事。

(2)羅隱的《續本事詩》：據羅根澤《晚唐五代文學批評史》第五章所言：「詩話總龜前集卷二十一，僧齊己松詩條下注明出續本事詩，接著就是白傅柳詩二首條，注云：『唐宋詩云，羅隱作續本事詩。』接著又有陰鏗石詩，羅鄴水詩兩條，注並同前，知羅隱作有續本事詩，此四條便是殘存的材料。又卷六稱羅鄴咏牡丹詩，續本事有全篇云云，又於詩後，注明出續本事詩，或亦指羅隱所著。」就《詩話總龜》所輯四條來看，只能知其爲詩本事的記錄，無法窺見他的全貌。羅隱也與司空圖同時，羅隱：八三三年至九〇九年，司空圖：八三七年至九〇八年。

(3)聶奉先的《續廣本事詩》：據羅氏言：「陳振孫直齋書錄解題文史類，載聶奉先續廣本事詩五卷，說『雖曰廣孟啓之舊，其實集詩話耳。』由此知前所謂《本事詩》是『詩話』的前身，一點不錯，所以聶奉先集詩話的書，命名續廣本事詩。」現在也無法見到五卷完整的《續廣本事詩》，商務印書館《叢書集成初編》載有十五條，題爲《續本事詩》，說是來自《唐宋叢書》本，每條之前皆有標目，如：

白鴈

北方白鴈，似鴈而小，色白，秋深乃來，白鴈至則霜降，河北人謂之霜信。杜甫詩云：故國霜前白鴈來，即謂此。

就現有的條文來看，雖然名爲續本事詩，但其體例內容，都與孟啓原書不同。孟啓以類歸聚，以事爲主，聶奉先則以目羅列，以物爲主，或許跟清人吳景旭的《歷代詩話》有相似之處。

聶奉先《續本事詩》〈海棠〉目下，載有蘇東坡謫黃州事，那麼，他的時代不可能早於蘇東坡是可以確知的吧！

次談《主客圖》

《主客圖》，全名爲《詩人主客圖》，唐末江南詩人張爲所撰。

《全唐文》卷八一七言《主客圖》之前有〈自序〉云：「若主人門下處其客者，以法渡一則也。」換句話說，同一門下的主客，其作詩方法，風格，自有其相似之處。

現行流傳各本《詩人主客圖》，其前無自序，但有童山李調元的序：

唐張爲撰詩人《主客圖》一卷，所謂主者，白居易，孟雲卿，李益，鮑溶，孟郊，武元衡，皆有標目，餘有升堂入室及門之殊，皆所謂客也。宋人詩派之說，實本於此。求之前代，亦如梁參軍鍾嶸分古今作者爲三品，名曰詩品，上品十一人，中品三十九人，下品六十九人之例。然彼掇拾閎富，論者稱其精當無遺，茲則落落僅此數人，於唐代詩人中未及十分之三四，即所引諸人之詩，亦非其集中之傑出者，或第就其耳目所及而次第之，故不繁稱博引也。

此序中說的非常明白，他的淵源正是來自鍾記室「三品升降」和「溯源探流」的兩大體例，但是張爲所引詩人不及唐代詩人的十分之三四，所舉詩例也非各人集中傑出者，所以他的價値不及《詩品》甚遠。

《詩人主客圖》列有六主：

(1)以白居易爲廣大教化主。
(2)以孟雲卿爲高古奧遠主。
(3)以李益爲清奇雅正主。
(4)以孟郊爲清奇僻苦主。
(5)以鮑溶爲博解宏拔主。
(6)以武元衡爲瓌奇美麗主。

臚列六主，似以風格爲分，就這點來說，《主客圖》也算是有體例可尋的著作。他在各主之下，列有「上入室」「入室」「升堂」「及門」四級，這自然是鍾記室《詩品》卷上所言「故孔氏之門如用詩，則公榦升堂，思王入室，景陽潘陸自可坐於廊廡之間矣！」的衍變。

圖中所列詩人，其下都列舉他的詩句（今本所見已有詩闕者），有的詩舉出全首，有的只列兩句，但考究他所舉例的詩句，卻無法與他所標的名目發生干係，如白居易爲廣大教化主，所舉詩例有「得意減別恨，半酣還遠程」，「人吏留不得，直入故山雲」，眞使人如墜五里霧中，莫知所云。所以，朱東潤的《中國文學批評史大綱》批評《主客圖》說：「此中所指六主及其標名，皆不盡可解，晚唐詩人之論，有如此者。至謂白居易之『升堂』則有盧仝、顧況；孟雲卿之『上入室』則有韋應物，『入室』則有李賀、杜牧；李益之『入室』則有張籍、姚合，『升堂』則有馬戴、賈島；武元衡之『上入室』則有劉禹錫，『入室』『升堂』則有趙嘏、許渾；尤比擬不倫，無從索解。」羅根澤也說他「不惟高下倒置，亦且時代倒置」。所以《詩人主客圖》在批評史的地位並不高。

《主客圖》惟一的價値就是：「宋人詩派之說，實本於此。」（見李調元序）。

宋詩流變，從嚴羽《滄浪詩話》以分體分派而論開始，流派之說不絕如縷，如全祖望《宋詩紀事》序所說：

「宋詩之始也，楊、劉諸公最著，所謂西崑體者也。慶曆以後，歐、蘇、梅、王數公出，而宋詩一變。涪翁以崛奇之調，力追草堂，所謂江西詩派者，而宋詩又一變。建炎以後，東夫之瘦硬，誠齋之生澀，放翁之輕圓，石湖之精緻，四壁俱開。及永嘉徐、趙諸公，以清虛便利之調行之，則四靈派也，而宋詩又一變；嘉定以降，江湖小集盛行，多四靈之徒也。及宋亡，而方、謝之徒，相率爲迫苦之音，而宋詩又一變。」

從宋詩流派之說，可以見出宋詩的興衰史，但這種流派的說法，卻是從張爲《詩人主客圖》標名立目沿襲而來，《主客圖》的貢獻就在這點。

如果還要說《詩人主客圖》另有貢獻，那就是《四庫提要》所說的「摘句爲圖，始於張爲」了。唐末五代時，有所謂「詩句圖」的書刊行，詩句圖的刊行旨在選集佳句，一方面做爲作詩的範例，一方面供人欣賞吟詠，頗似目前坊間流行的所謂「金句選」之類。《詩人主客圖》既列名目於前，又舉詩例於後，那麼，他保存唐代詩人作品的功勞也是不可泯沒的了。雖然五代前後的「詩句圖」不一定仿學張爲的《主客圖》，但他們同樣摘句爲圖，保存了一些佳句麗辭，其貢獻則一。

《本事詩》以事義繫乎詩，《主客圖》以詩繫乎流派，雖然本身的評價不高，但卻成爲宋元明清四代詩話著作所本，其影響不能不算深遠。

第三章　釋皎然及其《詩式》

唐人有關詩話之作，最具價值，而又最能確實影響中國詩論發展，成爲中國詩論主流的，要算釋皎然的《詩式》，和司空圖的《二十四詩品》。這一派的詩觀顯然與主張「文章合爲時而著，歌詩合爲事而作」的白居易、元稹等人的見解，有著全然的歧異。

此處討論中唐時代的釋皎然和他的《詩式》。

一、皎然生平略述

《新唐書》〈藝文志〉第五十，《皎然詩集十卷》之下，言皎然「字清晝，姓謝，湖州人，靈運十世孫，居抒山。」

《唐詩記事》卷七十三，以爲皎然是吳興人，其他跟《新唐書》一樣。《唐才子傳》則與此同說。

《高僧傳》三集卷第二十九〈雜科聲德篇〉記載：「釋皎然，名晝，姓謝氏，長城人，康樂侯十世孫也。」

觀察以上記載，《除高僧傳》外，多言「清晝」是皎然的字。《皎然集》有湖州刺史于頔撰的序（見四部叢刊初編集部），亦以清晝為字，于頔與皎然同時，當以其說為是。皎然既為靈運十世孫，南史言靈運為謝玄之孫，是陳郡陽夏人（今河南省內），東晉南遷後，謝氏家族也隨同南渡，定居於江浙一帶，湖州刺史于頔言皎然為「吳興開士」，皎然在其集中曾自稱為「長城卞山人」，可知以皎然為湖州人，或吳興人，或長城人，並無多大差殊，因為行政範圍大小不同，有如省縣鄉鎮的分別而已。

皎然初入道，肄業杼山，跟靈徹、陸羽同居於妙喜寺，陸羽在寺旁創亭，以癸丑歲癸卯朔癸亥日落成，其時湖州刺史顏眞卿，名其亭為三癸，皎然賦詩記其事，當時稱為「三絕」（見《唐才子傳》卷四）。顏眞卿為刺史時，又曾於郡齋集文士撰寫《韻海鏡源》，皎然也參預論著。貞元中，集賢殿御書院取其集十卷藏之，刺史于頔為他作序（見《新唐書》及《唐詩記事》等）序中明言編輯經過，說：「貞元壬申歲，余分刺吳興之明年，集賢殿御書院有命徵其文集，余遂輯而編之，得詩筆五百四十六首，分為十卷，納於延閣書府，上人以余嘗書述論前代之詩，遂託余以集序，辭不獲已，略志其變。」

關於他的詩，《唐詩記事》有這樣一段記載：「嘗於舟中抒思作古體十數篇，求合韋蘇州，韋大不喜，明日獻其舊製，乃極稱賞云：何不但以所工具投，而猥希老夫之意，人各有所得，非卒得至。晝大服其鑒裁之精。」《唐才子傳》亦記此事，但韋應物的話不同：「人各有長，蓋自天分，子而為我，失故步矣，但以所諧自名可也。」話雖不同，意思卻一樣，韋應物所勸勉的，正是：創造高於模倣。

皎然的詩，《唐才子傳》謂其「外學超然，詩與閑適，居第一流，第二流不過也。」于頔也說他「得詩人之奧旨，傳乃祖之菁華，江南詞人莫不楷範，極於緣情綺靡，故詞多芳澤，師古典制，故律尚清壯。其或發明玄理，則深契眞如，又不可得而思議也。」

今舉皎然〈早春書懷寄李少府仲宣〉一詩，以窺其詩作全豹：

早年初問法，因悟日中花。
忽値胡雛起，沒夷若亂麻。
脫身投彼岸，弔影念生涯。
跡與空門合，心將世路賒。
東田已蕪沒，南澗益傷嗟。
崇替驚人事，凋殘感物華。
如君過我里，惆悵舊烟霞。

此詩爲書懷之作，最可見其性情。《高僧傳》說他「幼負異才，性與道合」，「博訪名山法席，罕不登聽者，然其兼攻並進，子史經書，各臻其極。」又說他「淸淨其志，高邁其心，浮名薄利所不能啖，唯事林巒，與道者遊。」這三點，一是天賦異才，二是博訪兼攻，三是高邁心志，正是一個評論家所應具有的修養。所以，《皎然集》于頔的序也說他：「植性清和，稟資端懿，中祕空寂，外開方便，妙言說於文字，了心境於定慧。」當時號爲「釋門偉器」，其理在此。

皎然與顏眞卿同時，大約是天寶大曆間人，上面所引錄的詩，自言他「早年初問法……忽値胡雛起」，「胡雛起」大約是指著安史之亂，「早年」應該是十來歲左右，基此，或可定其生年大約在玄宗開元初年左右。

至於皎然的歿年，《高僧傳》以爲「以貞元元年終山寺」，是否爲貞元元年逝世無法推定，但此傳曾引用《詩式》中序原文，言「五年夏五月，會前御史中丞李公洪，自河北負譴，遇恩再移爲湖州長史，初與相見，未交一言，恍然神合，予素知公精於佛理，因請益焉。」自敍貞元五年之事，猶如歷歷在前，不爲貞元元年歿，當可斷定。此外，湖州刺史于頔的〈吳興晝上人集序〉（《皎然集》又稱《晝上人集》），曾言：「上人以余嘗書述論前代之詩，遂託余以集序，辭不獲已」，則貞元八年正月寫其文集入於祕閣的時候，皎然尚未物故，所以才能託人寫序。如果其時皎然已去世，那麼，于頔的序當會有悼念感傷的文字。由此兩事尋思，皎然的歿年當在貞元八年之後，享年八十歲左右。

皎然「跡與空門合，心將世路睽」的生平，最是影響他在《詩式》中所表現的詩觀，《詩式》〈中序〉云：「的一個重要的中心思想，這點我們留待第三節再詳加闡《詩式》世事喧喧，非禪者之意」，禪者之意當是述。以下先討論皎然著作的眞僞和版本問題。

二、皎然著作敍考

《唐書》〈藝文志〉文史類著錄：《皎然集》十卷，《晝公詩式》五卷，《詩評》三卷。《通志》〈藝文略〉亦載《詩式》五卷，《詩評》三卷。

《宋四庫闕書目》別集類，《宋志》文史類，載《詩評》爲一卷。

《文獻通考》卷二百四十九，〈經籍考〉七十六總集文史類下，錄皎然《詩式》五卷，《詩議》一卷。

宋人詩格叢書，蔡傳「吟窗雜錄」亦集《詩式》五卷，《詩議》一卷。

陳振孫《直齋書錄解題》文史類載《詩式》五卷，《詩議》一卷。

宋時，皎然《詩式》爲五卷，似乎尚無問題。詩評與詩議的問題卻值得研究。近人羅氏《隋唐文學批評史》以爲「評議義近，蓋即一書」，大抵可以解決《詩評》由三卷變爲一卷，又由一卷易名爲《詩議》一卷的緣故，蓋因古人著書本隨興之所至而寫，初無勒爲專書的計劃，即其書名亦不確定，內容又難有系統可言，因此，詩議即詩評的說法，大抵可從。宋人所著錄，和今人所能見者，唯《詩議》一卷，不見《詩評》。

清人顧龍振編輯的《詩學指南》卷三，集有釋皎然《詩議》、《詩式》外，尚有〈評論〉一篇，考察其文，除前面三條外，自「五言始於李蘇二子」開始，皆自今本《詩式》割裂而出，事實上，前面三條，亦見日僧空海所撰《文鏡祕府論》，羅氏以爲「和引自詩議者相連屬，知原出詩議。」(見《隋唐文學批評史》)，可見《詩學指南》另列的〈評論〉一篇，並非古籍所載的《詩評一卷》(《詩學指南》目錄，卷三載《詩議》《詩評》，卻不及《詩式》，而內文則標目爲《詩議》《評論》《詩式》，其疏略有如此者。)〈評論〉雖是割裂《詩式》《詩議》而成。但〈評論〉的前三條頗具詩學價值，特引錄於此，可爲有心人參考：

①或曰：今人所以不及古者，病於麗詞。予曰：不然，先正詩人，時有麗詞。「雲從龍，風從虎」，非麗邪？「昔我往矣，楊柳依依；今我來思，雨雪霏霏」，非麗邪？但古人後於語，先於意。（「後於語，先於意」的詩觀，值得注意。《文鏡祕府論》麗皆作儷，以所舉之例來看，作儷爲是。）

②或曰：詩不要苦思，苦思則喪於天眞。此其不然，固當繹慮於險中，采奇於象外，狀飛動之趣，寫眞奧之思。夫希世之珍，必出驪龍之頷，況通幽名變之文哉！（「繹慮於險中」等四句，可圈可點，《詩式》中更有發揮。此條本與前條連寫，今特予分立爲二。）

③古人云：具體惟子建仲宣，偏善則太冲公幹，平子得其雅，叔夜含其潤，茂先凝其清，景陽振其麗，鮮能兼通。況當齊梁之後，正聲寖微，人不逮古，振頹波者，或有賢於今論矣。（所謂古人，就是劉勰，《文心雕龍·明詩篇》在「隨性適分，鮮能通圓」之後，有極爲可貴的提示：「妙識所難，其易也將至；忽之爲易，其難也方來。」要想振頹波，必得妙識所難，超駕於古今已有之論。）

今日所見《詩議一卷》，可分四部份，第一部份論「詩有三四五六七言之別」，第二部份論「律家之流，拘而多忌，失於自然」，第三部份論「詩有六格」（實即六對，一曰的名對，二曰雙擬對，三曰隔句對，四曰聯綿對，五曰互成對，六曰異類對），第四部份則論「詩有八種對」（一曰鄰近對，二曰交絡對，三曰當句對，四曰含境對，五曰背體對，六曰偏對，七曰假對，八曰雙虛實對），這四部份的文字，也都散見於《文鏡祕府論》，空海和尚（西元七七四年——八三五年）生當唐朝之世（唐大曆九年至唐太和九年），曾來我國留學，所以《詩議》爲皎然原作當無疑問。以《詩議》跟《祕府論》相較，可見今本詩議殘缺已多，或者唐朝之時眞有三卷之豐，可惜現在已不傳了。

皎然最重要的一本著作《詩式》，從〈唐志〉著錄《晝公詩式五卷》以來，似乎到了清朝才發生問題，《四庫提要》卷一百九十五，《司空圖詩品》下云：「唐人詩格傳於後世者，王昌齡、杜甫、賈島諸書，率皆依託，即皎然杼山詩式亦在擬似之間。」《四庫提要》對皎然《詩式》提出懷疑的態度，可能是因爲各書都記載《詩式》五卷，而當時所能見到的各本《詩式》僅爲一卷，所以將《詩式》列入存目中，以爲有依託之嫌。

《四庫提要》卷一百九十七，集部詩文評類存目中，著錄《詩式》一卷，說：「舊本題唐釋皎然有杼山集，已著錄，此本即附載集末。考陳振孫書錄解題，載詩式五卷，詩議一卷，唐僧皎然撰，以十九字括詩之體。此本既非五卷，又一十九體乃末一條，陳氏不應舉以概全書。陳氏又載正字王元擬皎然十九字一卷，使僅如今本一條，則不能擬爲一卷矣，殊參差可疑。」可見《四庫提要》編者所見到的《詩式》是附在杼山集之後，而且僅有一卷，從「十九體乃末一條」來看，應該同於今日所見到的一卷本《詩式》。關於四庫提要這段話，可以提出三點討論：

第一，《提要》說《詩式》是附載於《杼山集》之末，考今本《皎然集》（縮印江安傅氏雙鑑樓藏影宋精鈔本）並未附錄《詩式》一卷。馬端臨《文獻通考》卷二百四十三，〈經籍考〉第七十詩集類，載皎然《杼山集》十卷，其下錄有晁補之，陳振孫，葉少蘊等人的案語，並未提到集後附錄一卷本《詩式》（該書總集文史類下，載皎然《詩式》五卷）。其他各本叢書目錄，亦未言及附載之事。那麼，《提要》所見到的《詩式》，或者不是通常所見到的單行本《詩式》，而是當時獻書的人鈔附於皎然《杼山集》之末，必然殘缺未全，因而啓其疑竇。

第二，《提要》以爲「此本既非五卷，又一十九條乃末一條，陳氏不應舉以概全書。」實則，《詩式》載「辨體有一十九字」，此十九字乃《詩式》全書的靈魂所在，書中各條如四深，二要，六至，七德，示人以作詩之法，但不能代表皎然眞正的詩觀，所以陳振孫提出十九字，說「以十九字括詩之體」，正見出陳氏的慧眼。同時，五卷本〈中序〉以後，以五格分舉詩例，其中「不用事第一格」和「作用事第二格」的詩例，分別注明「情也」「思也」等字，正是皎然應用十九字，指出詩例各有所長的證明。又「辨體有一十九字」條下，皎然曾言「今但注於前卷中，後卷不復備舉」，正是表明第三格以後的詩例，雖然不曾注明屬於十九字中的某體，但也適用於十九體的分類。所以，舉十九體以概全書，並不算錯，何況陳氏只是提出要旨似的說《詩式》「以十九字括詩之體」而已。《四庫提要》未見五卷本《詩式》，故有此說。

第三，《提要》說「陳氏又載正字王元擬皎然十九字一卷，使僅如今本一條，則不能擬爲一卷矣。」《詩學指南》等書輯錄王玄（即王元）《詩中旨格》，其中有「擬皎然十九字體」，是在引述皎然十九體解說後，舉詩例以爲佐證，如「風韻朗（《詩式》朗原作切）暢曰高，廖融寄天台逸人：又聞乘桂楫，載月十洲行。體格閒放曰逸，齊已寄陸龜蒙：閒攲太湖石，醉聽洞庭秋。」所以擬皎然十九字能否成爲一卷，可以從這裡判定（其實，多少字爲一卷，原無定準）。更重要的是，由於有王元「擬皎然十九字體」，更可以反證《提要》所說「皎然杼山詩式亦在擬似之間」，「殊參差可疑」等語爲不眞。

所以，余嘉錫先生的《四庫提要辨證》也加以駁證，他說：「此書本五卷，而今本僅一卷，才三十條，自是爲後人刪削不全，然宋失名人《竹莊詩話》卷一，引鄭文寶答友人潘子喬論詩書云：『唐僧著詩式三篇，如四深二要之門，四離六迷之道，誠關研究，實可師承。』五卷而云三篇，似是已經刪削，但詩有四深，詩有二要，詩有四離，詩有六迷，皆爲今本之一條。《唐詩記事》卷七十三，引此書至二百許字，是今本與宋人所見者無異，蓋有刪削而無改竄，無可疑也。日僧空海所撰《文鏡祕府論》，引用此書甚多，幾乎全部收入，尚可考見皎然原本，空海生當中國唐時，遠在鄭文寶之前，可無復疑矣。又案〈新唐志〉作《晝公詩式》五卷，〈宋志〉作皎然《詩式》五卷，《提要》僅引《書錄解題》，亦小疏也。」

余先生以爲今本《詩式》一卷，是由於後人刪削，比較一卷本與五卷本的不同，可以見刪削的痕跡。一卷本是由五卷本《詩式》所刪削的部份包括總序（此序亦見於全唐文卷九一七），卷一刪削，二重意、三重意、四重意等三條，百葉芙蓉菡萏照水例，龍行虎步氣逸情高例、寒松病枝風擺半折例等三例，而止於「辨體有一十九字」。其他留存部份，除五卷本各條有「評曰」兩字開首外，並無差異。可注意的是，被刪削的部份，不是序文，就是詩例，而且，卷一從中序以後，直到卷五，都是「詩有五格」的詩例，在最通行的一卷本《詩式》中完全被剔除了。能夠證明這點的是，今一卷本《詩式》全無詩例，但「三不同語意勢」之後，仍然留存「偷語詩例」「偷意詩例」「偷勢詩例」，此三條未被刪除，應該可以證明一卷本是由五卷本節錄而來。（《詩學指南》在「十九體」之後，仍列有五格詩例，與五卷本相校，除一二格稍有錯置外，餘皆相同，但比五卷本簡略。）

更進一步證明五卷本爲眞的，「辨體有一十九字」條中，皎然言：「其一十九字，括文章德體風味盡矣，如易之有象辭焉，今但注於前卷中，後卷不復備舉。」查今本《詩式》五卷，卷一第一格和卷二第二格詩例，皆注明屬於何字體，卷三以後不再提明，正與此言吻合。《提要》又稱皎然與顏眞卿同時，天寶大曆間人，而所引諸詩，有賀知章，李白，王昌齡等人，相去甚近，不應遽與古人竝，推疑原書散失，而好事者摭拾補之。這種說法，有點貴古賤今的意思，因此，余先生的辯證說：「要之諸人當日詩名，業已舉世推服無異詞，何以不可稱引？唐詩紀事所引亦與今本同，況當皎然與顏眞卿同撰《韻海鏡源》之日，賀知章及王昌齡早作古人，更無標榜之嫌哉。」《詩式》卷二，皎然的話更具力量：「今所評不論時代遠近，從國朝以降，其中無爵命有幽芳可采者，拔出於九泉之中，與兩漢諸公竝列，使攻言之子，體變道喪之談，於茲絕矣。」

所以，五卷本《詩式》才是眞正原本《詩式》，羅著《隋唐文學批評史》稱陸心源輯十萬卷叢書還爲五卷，引盧文弨的跋，說：「此書世有鐫本，俱不全，今乃得此五卷完備者，從兩漢及唐詩人名篇麗句，摘而錄之，差以五格，括以十九體，此所以謂之式也。若世間本則虛張其目而已，豈知其用意之所在乎？」他的意思就是理論與實例應該相互配合。隨意刪削詩式詩例，正是不解皎然原意，皎然在總序中說明爲什麼寫作《詩式》：「洎西漢以來，文體四變，將恐風雅寖泯，輒欲商較以正其源，今從西漢以降，至於我唐，名篇麗句，凡若干人，命曰詩式，使无天機者坐致天機。」也指出「名篇麗句」的重要，要使无天機者坐致天機，必須舉出詩例，這點才是寫作《詩式》的眞正本意。

至於《詩式》的整理出版，皎然在《中序》中也有所闡述：「貞元初，予與二三子居東溪草堂，每相謂曰：世事喧喧，非禪者之意，假使有宣尼之博識，胥臣之多聞，終朝日前，矜道侈義，適足以擾我眞性；

豈若孤杉片雲，禪坐相對，無言而道合，至靜而性同哉。吾將深入杼峯，與松雲爲侶，所著詩式，及諸文筆，併寢而不紀。因顧筆硯笑而言曰：我疲爾役，爾困我愚，數十年間，了無所得，況你是外物，何累於我哉，往既無心，去亦無我，予將放爾，各還其性，使物自物，不關於予，豈不樂乎？遂命弟子黜焉。至五年夏五月，會前御史中丞李公洪，自河北負譴，遇恩再移爲湖州刺史，初與相見，未交一言，恍然神合，予素知公精於佛理，因請益焉，先問宗源，次及心印，公笑而後答，溫兮其言，使寒叢之欲榮，儼兮其容，若春冰之將釋，予於是受辭而退。他日言及詩式，予具陳以夙昔之志，公曰：不然，因命門人檢出草本……公欣然，因請吳生（吳季德）相與編錄，有不當者，公乃點而竄之，不使琅玕與瓘玦參列，勒成五卷，粲然可觀矣。」此序不僅在詳陳編定詩式的緣由，更可見出皎然研究禪機的心得，如言「往亦無心，去亦無我」，「使物自物，不關於予」，故錄序文的大半，做爲了解皎然詩觀的階陛。

皎然除《詩式》、《詩議》外，其《皎然集》似乎較不受後人重視，《高僧傳》評其詩文說：「觀其文也，亹亹而不厭，合律乎清壯，亦一代偉才焉。」于頔序《皎然集》亦頗有贊詞，但其聲名總不如《詩式》在文學批評史上以十九字括詩之體的地位。《高僧傳》又稱他著有《儒釋交遊傳》，及《內典類聚》共四十卷，《號呶子》十卷，時貴流布，但《唐志》等書未見著錄；或許是有關佛學、僧隱的小書，今都不傳。

三、皎然詩觀探討

皎然的詩觀主要表現在《詩式》五卷上面，《詩議》一卷則側重講解對偶，所謂六格，所謂八對都是。從他所列舉的幾種對來看，雖然也講求對偶儷句，但是並非要求完全拘泥於格律的限制，所以有「馬鳴」對「旆旌」，「古墓」對「松柏」的「偏對」，有「不獻胸中策，空歸海上山」的「假對」，羅根澤說他的對偶是一種修正論，正由於皎然的對偶觀念已經非常寬泛了。這樣寬泛的對偶說，他自己自有一套見解，《詩議》中說：「夫境象非一，虛實難明，有可覩而不可取，景也，可聞而不可見，風也，雖繫乎我形，而妙用無體，心也，義貫衆象，而無定質，色也，凡此等可以偶虛，亦可以偶實。」

支持這種寬泛對偶說的，源於皎然詩觀中極重要的兩個觀念，一是追求自然，《詩議》說：「律家之流，拘而多忌，失於自然，吾嘗所病也。」二是意先語後，〈評論〉（實由《詩議》割裂而來）說：「或曰：今人所以不及古人者，病於儷詞，予曰：不然……但古人後於語，先於意。」這兩個觀念和《詩式》中所表現的詩觀，完全相通，我們可以從此進入皎然詩觀的核心。

㈠追求自然：

皎然重自然，所以說李陵、蘇武：「天與其性，發言自高」，以爲劉楨：「語與興驅，勢逐情起，不由作意，氣格自高」，這種重自然的觀念是皎然詩觀發展中的基本型態，他所重的「自然」是一種什麼樣的自然呢？從前面所引的兩處評句中可以見出，是天所賦與的本性，是語勢不能加以傷害的情興。在〈文章宗旨〉條下，他評謝靈運說：「康樂公早歲能文，性穎神澈，及通內典，心地更精，故所作詩，發皆造極，得非空王之道助耶？夫文章天下之公器，安敢私焉，曩者嘗與諸公論康樂爲文，直于情性，尙于作用，不顧詞彩而風流自然。彼清景當中，天地秋色，詩之量也，慶雲從風，舒卷萬狀，詩之變也，不然何以得其格高，其氣正，其體貞，其貌古，其詞深，其才婉，其德宏，其調逸，其聲諧哉！」所以，「直于情性」「風流自然」，是皎然詩觀中的一個根本思想。

這樣的自然詩觀，是由情性而發，但醜笨朴質，任意而行，並非皎然詩觀的眞諦，皎然在〈取境〉條下說：「詩不假脩飾，任其醜朴，但風韻正，天眞全，即名上等，予曰不然。無鹽闕容而有德，曷若文王太姒有容而有德乎？又云：不要苦思，苦思則喪自然之質，此亦不然，夫不入虎穴，焉得虎子，取境之時，須至難至險，始見奇句，成篇之後，觀其氣貌，有似等閒，不思而得，此高手也。有時意靜神王，佳句縱橫，若不可遏，宛若神助，不然，蓋由先積精思，因神王而得乎？」從這段話，我們可以探知，所謂「自然」並不是不假修飾，任其醜朴，有人以爲詩語言需要淺顯化，以爲口語就是自然，持這種見解的人並沒有眞正了解到自然的本質是什麼，羅根澤以爲皎然的自然觀「並不是聽任自然，而是追求自然」，才是眞知卓見。

追求自然，所以，不入虎穴，焉得虎子？在至難至險之中，才能採得奇句，〈評論〉第二條也有同樣的見解：「或曰：詩不要苦思，苦思則喪於天眞，此其不然。固當繹慮於險中，采奇於象外，狀飛動之趣，寫眞奧之思，夫希世之珍，必出驪龍之頷，況通幽名變之文哉！」

因此，苦思和自然，不僅不起衝突，而且，眞正的自然還須由苦思而來，皎然主張「詩要苦思」，《詩式》卷二開始就提到這種苦思的「必須有」：「三字物名之句，仗語而成，用功殊少，如襄陽孟浩然云：氣蒸雲夢澤，波撼岳陽城，自天地二氣初分，即有此六字，假孟生之才，加其四字，何功可伐，即欲索入上流耶？若情格極高，則不可屈，若稍下，吾請降之於高等之外，以懲後濫，如此則詩人堂奧，非好手安可捫其樞哉。」因爲他認爲詩要苦思，三字物名的句子，便算不得下過功夫苦思而得（加其四字，何功可伐？）所以詩有五格而以不用事爲第一格，不用事就是不用現成的材料（包括典故，人名、物名、地名等），也就是要靠自己苦思，要自己創造！

爲什麼皎然提倡「詩要苦思」呢？一方面是盛唐時代的詩人，大部份將詩當做一種純粹的藝術來吟詠，譬如李白說：「借問別來太瘦生，總爲從前作詩苦。」杜甫說：「語不驚人死不休」，當時的環境，苦吟苦思的風氣已經盛行。另一方面，皎然是方外人士，從禪宗的修習來講，不論南頓北漸，都需要相當程度的苦修功夫，因而影響到皎然的詩觀也以苦思爲是。「先積精思」的功夫，對於寫詩的人來說是極爲重要的，所謂「宛若神助」（今言靈感），其實就是由於深入的思考而自然流露出來。皎然主張詩要苦思，苦思的目的是爲了「成篇之後，觀其氣貌，有似等閒，不思而得」，這是喜歡以晦澀爲能事的詩人所該引以爲鑑的。所以，皎然一方面確認苦思的必要，一方面仍然以自然爲其最後依歸，他的詩觀圓美而無缺憾。

皎然追求自然，最值得稱述的兩點，一是追求的方法，一是追求的最高境界。

前面言及「不入虎穴，焉得虎子」，皎然用以追求自然的方法，正是這種「置之死地而後生」的方法，所以，詩要自然，是經由苦思而後得來自然，也就是說，如果要向東去，那麼向西直行，最後總要抵達目的地。從這種相對的觀念又引申爲：相對的兩個觀念之間的「相互約束」，其實從相對的觀念來說，相互約束又是相互的助長。皎然《詩式》提及的四不，四深，二要，二廢，四離，六迷，七至，七德（得）等，都以這種相對的約束法，企求完成皎然的自然詩觀。茲分述如次：

（甲）詩有四不：「氣高而不怒，怒則失於風流。力勁而不露，露則傷於斤斧。情多而不暗，暗則蹶於拙鈍。才贍而不疎，疎則損於筋脈。」

氣，依十九體皎然自己所作的解說：「風情耿耿曰氣」，氣格要高，但不能囂張，也就是要凝聚於一，不能流散無定，否則就爲風所冲流（此處的風流，與七德中的風流，解說不同）。力，「體裁勁健曰力」，力要求勁健，但不可揚露出來，亦即要求內在的強健，而不露外表斤斧的雕鑿。情，「緣情不盡曰情」，不盡則多，情要多但忌暗濁，暗濁則見其拙笨，所以，多情之外，還要求其清明。才，十九體中無才字體，但他曾說：「夫詩人之思初發，取境偏高，則一首舉體便高，取境偏逸，則一首舉體便逸，才性等字亦然。」足見十九體中有出於才性者，皎然重視「才」字，又可從〈三不同語意勢〉條中看出，言「偷語」是「弱手蕪才」，言「偷勢」則是「才巧意精」，所以，才要富足，不可疏淺，一疏淺就會損傷詩的筋脈。

（乙）詩有四深：「氣象氤氳，由深予體勢。意度磅礡，由深於作用。用律不滯，由深于聲對。用事不直，由深於義類。」

詩式〈明勢〉條：「高手述作，如登荊巫，覿三湘鄢郢之盛，縈回盤礡，千變萬態。或極天高峙，岸焉不群，氣勝勢飛，合沓相屬。或修江耿耿，萬里無波，欻出萬深重複之狀，古今逸格，皆造其極矣。」《詩式》又以十九字辨詩之體，能明「勢」辨「體」，則氣象盛足。

意度要想磅礴，則須明於作用，詩式〈明作用〉條：「作者措意，雖有聲律，不妨作用。如壺公瓢中，自有天地日月，時時拋鍼擲線，似斷而復續，此爲詩中之仙，拘忌之徒，非可企及矣！」能夠深於作用（作用，即是不墨守成規），則意能廣大而盛。《詩式》卷二有言：「夫詩人作用，勢有通塞，意有盤礴。勢有通塞者，謂一篇之作，後勢特起，前勢似斷，如驚鴻背飛，卻顧儔侶。……意有盤礴者，謂一篇之中，雖詞歸一旨，而興乃多端，用識與才，蹂踐理窟。」氣象的氤氳，意度的磅礴，都是自然而不受拘牽。而所謂「深於體勢」「深於作用」等等，也正是苦思——下過功夫去體會、了解的意思。

詩式〈明四聲〉條：「後之才子，天機不高，爲沈生弊法所媚，懵然隨流，溺而不反。」這就是不深於「聲」，因此爲「律」所滯限。皎然贊成自然音律，但是只要能韻合情高，他並不反對宮商五音之說，而且還提出「深於聲對」就能「用律不滯」的主張，皎然以爲「聲」「對」不是用來囿制詩思，而是幫助詩思發展的催生劑，眞能明曉聲律對偶在詩中擔任的作用，就不會讓它成爲傷害自然的一名劊子手。這點和「用事不直」由深於義類」有著相似的理論軌跡，皎然以「不用事」爲第一格，但他知道完全不用事並無可能，因此以「作用事」「直用事」分居第二第三，「作用事」的眞義應該是「語似用事，義非用事」，也就是「用事不直」。要想用事不直，須要透澈了解各種義類，〈用事〉

條下云：「萬象之中，義類同者，盡入比興」（皎然對比興的獨特看法是：「取象曰比，取義曰興」），能了解同項義類的相互干繫，充分應用比興，用事便不會黜入第二格以下。

（丙）詩有二要：「要力全而不苦澀，要氣足而不怒張。」

力求強勁，全則能強勁，但是，全也顯得笨重拖拉而有苦澀之感，所以力要全，而且要避免因苦澀而有的泥滯之弊。氣求盛壯，所以要足，足則容易怒張，怒張容易流失，因此，氣足時忌諱怒張。這個觀念可以跟「詩有四不」中的「氣高而不怒，怒則失於風流。力勁而不露，露則傷於斤斧。」相發明。

（丁）詩有二廢：「雖欲廢巧尙直，而思致不得寘。雖欲廢詞尙意，而典麗不得遺。」

廢巧尙直，不追求夸飾，情性自然最爲根本，但是這時，思致不得廢棄（寘者，廢也）。廢詞尙意（亦即此後將討論到的「意先語後」），雖然以重意爲先，但也不能不要典麗。這種以一事約束一事的作法，是皎然詩觀步向中庸，不趨極端的成功所在，「思致」必是縝密、委曲，正用以救「廢巧尙直」之弊，曲麗剛好可以補「廢詞尙意」的拙樸。値得提醒的是，此處意欲廢巧「尙直」，「四深」卻以用事「不直」爲高，一尙一不，似有矛盾，其實這是語言層次的不同，而且兩者雖然殊途，卻同歸一處：廢巧尙直，要有思致。用事不直，在求韻味，含蓄。

（戊）詩有四離：「雖期道情而離深僻。雖用經史而離書生。雖尙高逸而離迂遠。雖欲飛動而離輕浮。」

詩有四離，最能見出皎然詩觀所在。道情，經史，是就內蘊的體德而言，十九體中的貞、忠、節、志、氣、情、思、德、誡、閒、悲、怨、意、力，屬之。高逸、飛動，是就外彰的風律而言，高、逸、達、靜、遠等體即是。申言之，四離剛好補足十九體的缺失：期道情而離深僻——道要求正道、大道，情要是人類共通的感情，而非一己私欲。用經史而離書生——應用經史之書，不拘於個人的偏好，不雜入個人偏見。這樣能博大，不執著，然後才可達及高逸之境，飛動之趣。尙高逸而離迂遠 皎然以高逸爲詩的最高期尙，高逸最重要的就是一份瀟灑，不許拖泥帶水，否則只是迂遠而已。欲飛動而離輕浮——皎然在極嚴肅的詩的創作過程中，仍然希望「狀飛動之趣」，也就是追求的過程是一種嚴肅的行爲，但企求的並不是詩完成以後的嚴肅面，所以「二廢」說：「思致不得置，典麗不得遺」，但是如果「飛動」遠離了詩思的主脈，便陷入輕浮、泛濫而不入流了，所以，雖欲飛動而離輕浮。飛動與輕浮的分別，可以就風箏在空中的情景爲喻：未斷線以前是瀟灑的飛動，斷線以後就成無所適止的輕浮了，所以忌輕浮。

四離和四深是皎然《詩式》中最値得注意的兩條，能深究這兩條所顯示的內涵，大抵可以解悟其他各條提舉的觀念。

(己) 詩有六迷：「以虛誕而爲高古，以緩慢而爲冲澹，以錯用意而爲獨善，以詭怪而爲新奇，以爛熟而爲隱約，以氣少力弱而爲容易。」

這六點迷惑是寫詩的人所應避免的，譬如某些現代詩人以爲詭怪是新奇，標新立異，某些又以氣少力弱爲容易，軟綿綿而不堅實，面對此六迷應該有所警惕，同時，此六迷應該可以反過來說而成爲積極的意義，譬如說：「高古而不虛誕，冲淡而不緩慢」。基此，皎然詩所謂的四不四深，二要二廢，六迷七至等，本來可以縮減而列成簡易的數條，因其意義重複之處甚多，同時也見出古人著書不尙體例，隨興所至而發議論。

(庚)詩有七至：「至險而不僻，至奇而不差，至麗而自然，至苦而無跡，至近而意遠，至放而不迂，至難而狀易。」(七至有作六至者，無「至難而狀易」)。

這七至是皎然置之死地而後生的方法中最爲顯明的一個，皎然履至險至苦，但並不以險、苦爲目的，而是求其不僻，求其無跡。這種方法禪師常用來開悟別人，《指月錄》和《景德傳燈錄》中的許以見證。

(辛)詩有七德：「一識理，二高古，三典麗，四風流，五精神，六質幹，七體裁。」

這七德，皎然只列舉其目，未加闡述，殊爲可惜，若跟十九體並觀，可見得兩者同是分析詩的德體風味，不同的是：「詩有七德」較不完整，而十九體則「無復別出矣」！

以上各條大抵是皎然以相對的觀念，探求詩要自然的方法，前面說過，皎然追求自然值得稱述的，除了提示品式的方法論之外，最重要的是追求的最高境界是什麼？從上面所引用的《詩式》原文來探求，可以知道那就是「高逸」兩字，如明勢：「古今逸格，皆造其極矣」，四不：「氣高而不怒」，四離：「尙高逸而離迂遠」，七德之二是高古，論李少卿：「天與其性，發言自高」，論鄴中集：「不由作高」「逸」爲首。

意，氣格自高」，文章宗旨：「其格高，其調逸」等都是，又如〈跌宕格二品〉中，說「越俗」：「其道如黃鶴臨風，貌逸神王，杳不可羈」也是。（跌宕格有「越俗」「駭俗」兩品，淈沒格有「淡俗」一品，調笑格有「戲俗」一品，三格四品中，自以跌宕格的越俗品最爲上上）。所以，十九體中以「高」「逸」爲首。

《詩式》中序曾云：「貞元初，余與二三子居東溪草堂，每相謂曰：世事喧喧，非禪者之意。」又云：「豈若孤松片雲，禪坐相對，無言而道合，至靜而性同哉！」這種「禪者之意」正是皎然所以提倡「高」「逸」的原因，整本《詩式》爲了「使無天機者坐致天機」，也無非是禪者之意，因此，《詩式》總序云：

夫詩者，衆妙之華實，六經之菁英，雖非聖功，妙均於聖。彼天地日月光化之淵奧，鬼神之微冥，精思一搜，萬象不能藏其巧。其作用也，放意須險，定局須難，雖取由我衷，而得若神表。

恰好簡要說明「情性自然」這一節，從開始追求到禪者之意所表露的詩觀，「放意須險，定局須難」的背水戰略，「取由我衷，得若神表」的最高期許，正是皎然詩觀中極重要的一部份。而序文接下去的話，又正合爲「意先語後」的樞紐：「至如天眞挺拔之句，與造化爭衡，可以意會，難以言狀，非作者不能知也」。皎然的另一重要詩觀，也就是這種「重意」詩觀。

㈡意先語後：

皎然由於重自然，所以不惜至險至苦，意欲達及自然之境，他的對偶說極爲寬泛，《詩式》〈對句不對句〉條下云：「夫對者，如天尊地卑，君臣父子，蓋天地自然之數，若斤斧跡存，不合自然，則非作者之意。」他以爲作者之意在於求合自然，意已自然，而後再求語言的自然契合「意的自然」，這種觀念發展的結果，就是「先於意，後於語」的詩觀。所以「三不同語意勢」中，偷語最爲鈍賊，其次偷意，其次偷勢。

偷，本來不是皎然所贊成，皎然主張「創造」（他的創造意念來自韋應物的刺激），《詩式》〈用事〉條云：「詩人皆以徵古爲用事，不必盡然也。」（皎然也不主張復古，卷五有「復古通變體」可知），所以，《詩式》卷五說：「今所撰詩式，分別等第五門」，這五門就是「詩有五格」，而以不用事爲第一格，不用事，所以需要創造，其次爲作用式第二格，直用事第三格，有事無事第四格，有事無事情格俱下第五格。從這五個等第中，也可以見出皎然重意的詩觀，不用事宜爲創造，作用事則需要一點創造的才力（四深說：「意度盤礴，由深於作用」，四離說：「雖用經史而離書生」，六迷說：「以錯用意而爲獨善」），到了有事無事時，若情格俱下，則黜入第五格，情格俱下顯示著詩意的薄弱，無存，所以貶居爲最下之格。五格高下之分，正以創造力的高低，意的有無，做爲鑑定的關鍵，由於皎然以意爲重，才有不用事的主張。

在不用事的主張中，有「語似用事，義非用事」的，皎然舉例說：「如古詩：仙人王子喬，難可與等期。曹植贈白馬王彪：虛無求列仙，松子久吾欺。又古詩：師涓久不奏，誰能宣我心。上句言仙道不可偕，次句讓（一作誚）求之無效，下句略似指人，如魏武呼杜康爲酒。蓋作者存其毛粉，不欲委曲傷乎天眞，並非用事也。」有了這種「語似用事義非用事」的說法，就如對偶說有偏對，假對，寬泛且自由得多了，皎然說：「此二門自始有之，而弱手不能知也。」顯示皎然亦頗讚賞這一作法。

由這種重意的創造詩觀，發展的結果，便產生了「情在言外，旨冥句中」的神韻詩派的濫觴。這種發展是非常自然的，因爲重意，必定以極有限的語言來負載極豐富的詩意，再加上這是作者自己的創造，許多獨創的發現便隱藏在字句之後。《詩式》卷二稱：「池塘生春草，情在言外，明月照積雪，旨冥句中。風力雖齊，取興各別。」由此可聯想到鍾嶸詩品說：「池塘生春草，羌無故實，明月照積雪，詎出經史？」顯然皎然是由此引發，但鍾嶸的用意只在反對用事用典，皎然則更指明情在意外，旨冥句中的成就。

皎然重視此一詩觀，又可從《詩式》卷一〈重意詩例〉條下看出，他說：「兩重意以上，皆文外之旨，若遇高手，如康樂公，覽而察之，但見情性，不睹文字，蓋詩道之極也。向使此道，尊之於儒，則冠六經之首；貴之於道，則居衆妙之門；精之于釋，則徹空王之奥。」推崇至此，足見「意先語後」的主張在皎然詩觀中的地位。

立意，並不是一件簡單的事，《詩式》卷五說：「詩之立意，變化無有倚傍，得之者懸解其間。」在皎然立意的觀念裏有一個準則卻是不變的，那就是「一之以正」的立意觀，詩式有「三格四品」，其中「淈沒格一品」謂之「淡俗」：「此道如夏姬當壚，似蕩而貞，采吴楚之風，雖俗而正。」「調笑格一品」謂之「戲俗」：「此一品非雅作，足爲談笑之資矣！」這時候皎然已以雅正的觀念來類別風格與等第。至於以十九字括詩之體，更能見出這種論點，玆舉十九體中有關雅正者於後：

貞：放詞正直曰貞。
忠：臨危不變曰忠。
節：持節不改曰節。
志：立志不改曰志。
德：詞溫而正曰德。
誡：檢束防閑曰誡。

這種立意雅正，風格雅正的詩觀，應該是深受儒家道德學說影響之下的產品，而這也正是中國傳統詩論中不可移易的主流，離乎此而言中國詩論，就像離乎儒家與道家而言中國哲學一樣，誠爲不可思議之事。

當然，皎然主張雅正的立意觀，但是他最主要的詩觀卻是源自情性自然，而歸之於神韻，詩式卷五開始便說：「夫詩人造極之旨，必有神詣，得之者，妙無二門，失之者，邈若千里，豈名言之所知乎？故工之愈精，鑒之愈寡，此古人所以長太息也。若非通識四面之手，皆有好丹非素之失癖。」皎然既言其高，又言其難，所以，司空圖以後論詩的人，不免遑遑於此而不絕於道了。

四、皎然辨體研議

陳振孫《直齋書錄解題》言《詩式》「以十九字括詩之體」。足見辨體一十九字在《詩式》中的重要性，皎然自己也說：「其一十九字，括文章德體風味盡矣！」所以，周履靖《騷壇祕語》卷下，引趙氏的話說：「以此十九字，求詩之製作，無以加矣，要其歸不過情與景二字而已，情景兼者爲上，偏到者次之……故曰：融情于景物中，托思於風雲之表者難之。」前節曾指出皎然的詩觀在於追求高逸之境，而高逸兩字正是十九體的最先兩體，皎然以爲「夫詩人之思初發，取境偏高，則一首舉體便高，取境偏逸，則一首舉體便逸。」基於是，雖然高逸是最後目標，但其初發的「情思」卻不能不加注意，皎然在同條「辨體有一十九字」下說：「其比興等六義，本乎情思，亦蘊乎十九字中，無復別出矣！」可以說，皎然十九體是從情思出發，以達高逸境界的詩的各種內外風貌，十九體中，每一體都潛藏著詩人對於情思的追索，和對於高逸的要求。

十九體的詩例分居於五格之下，五格雖號稱以反用事爲主要依據，但「情格」高低的影響甚大，說「情格」是它的重要依據也不爲過，這點可從皎然對五格的解說見出：

(1)不用事第一。

(2)作用事第二（其有不用事而措意不高者，黜入第二格）。

(3)直用事第三（其中亦有不用事而格稍下，貶居第三）。

(4)有事無事第四（此於第三格中稍下，故入第四）。

(5)有事無事情格俱下第五（情格俱下，有事無事可知也）。

所以卷二〈律詩〉條下才有這樣的見解：「情多興遠，語麗爲上，不問用事格之高下。」依第三節所述，皎然是一位注重藝術技巧的詩論家，但他一方面又主張意先語後，情興爲上，這種詩論追求的結果，也就是《詩式》卷五所說：「夫詩人造極之首，必在神詣。」換言之，是由個人的情興引發，透過四深七至等藝術技巧，追求詩的神韻。理解到這樣的皎然詩觀，再來看十九體的內容和詩例，當可收事半功倍之效。

皎然辨體十九字：

(1)高：風韻朗暢曰高，一本朗暢作切暢。

郭景純詩「靈妃顧我笑，粲然啓玉齒」

(2)逸：體格閑放曰逸，一本閑放作閒放。

左太冲詩「振衣千仞岡，濯足萬里流」

郭景純詩「左挹浮丘袂，右拍洪崖肩」

(3)貞：放詞正直曰貞。

曹子建詩「山峯高無極，涇渭揚濁清」

(4)忠：臨危不變曰忠。

唐太宗詩：「疾風知勁草，版蕩識忠臣」

(5)節：持操不改曰節，一本持操作持節。

鮑明遠詩「捐軀報明主，身死爲國殤」

白頭吟「直如朱絲繩，清如玉壺冰」

(6)志：立性不放曰志，一本作立志不改，王元《詩中旨格》作確乎不拔曰志。

左太冲詩「落落窮巷士，抱影守空廬」

(7)氣：風情耿介曰氣，一本耿介作耿耿，《詩中旨格》作立性耿介曰氣。

吳均詩「何當數千丈，爲君覆明月」

(8)情：緣境不盡曰情，一本緣境作緣情，《詩中旨格》作緣景不盡曰情。

班婕妤詩「出入君懷袖，動搖微風發」

阮籍詩「迴風吹四壁，寒鳥相因依」

謝朓詩「日出衆鳥散，山暝孤猿吟」

(9)思：氣多含蓄曰思，《詩中旨格》作含蓄曰思。

蘇子卿詩「黃鵠一遠別，千里顧徘徊」

李陵詩「臨河濯長纓，念別悵悠悠」

(10)德：詞溫而正曰德。

謝靈運詩「達人貴自我，高情屬天雲」

(11)誡：檢束防閑曰誡，《詩中旨格》作防患曰誡。

古詩「何不策高足，先據要路津」

⑿閒：性情疏野曰閒。

王仲宣詩「逍遙河堤上，左右望我軍」

⒀達：心迹曠誕曰達，《詩中旨格》作心疎曠誕曰達。

古詩「驅車策駑馬，遊戲宛與洛」

陶潛詩「眞想初在襟，誰謂形迹拘」

⒁悲：傷甚曰悲，《詩中旨格》作堪傷曰悲。

梁王挽歌「君王留此地，駟馬欲何歸」

王仲宣詩「臨穴呼蒼天，涙下如綆縻」

⒂怨：詞理悽切曰怨，《詩中旨格》怨作寃。

蔡邕詩「入門各自媚，誰肯相與言」

⒃意：立言盤泊曰意，一本無盤泊二字。

傅休奕詩「落葉隨風摧，一絕如流光」

⒄力：體裁勁健曰力。

沈約詩「詠歌麟趾合，簫管鳳雛來」

⒅靜：意中之靜曰靜。一本云：非如松風不動，林狖未鳴，乃謂意中之靜。《詩中旨格》作情中之靜曰靜。

直中書詩「紅藥當階翻，蒼苔依砌上」

⒆遠：意中之遠曰遠。一本云：非謂淼淼望水，杳杳看山，乃謂意中之遠。

朓詩「雲去蒼梧野，水還江漢流」

由這些解說和詩例，大抵可以了解皎然十九體的概略，但是也見出皎然辨體未盡理想：第一，義界含糊，如放詞正直曰貞，詞溫而正曰德，兩者易於相混。再如臨危不變曰忠，持操不改曰節，立性不放曰志，三者義亦相近。義界含糊的原因，是因爲分體太細，如忠、節、志，三體實可併爲一體。第二，抽象化的解說，難以捉摸，如風韻切暢曰高，風情耿耿曰氣，這是主張神韻說，性靈說的人所不可避免的。第三，詩例有時不足以補充詞義不明的地方，如貞體、氣體的詩例，似有不當之嫌。第四，外彰的風律，與內蘊的體德，辨體十九字未作適切的歸屬和分類，所以一下子就情性立體，一下子就詞理立體，頗不一致。這四項缺憾，對於盛中唐時代的釋皎然來說，是一種苛求，在當時，能以十九字括詩之體已屬不易，所以，皎然十九體的地位，並不因爲這樣的失陷而降損。

五、皎然詩式評價

《詩式》的成書，皎然以爲在於使無天機者坐致天機（卷一），使偏嗜者歸于正氣，功淺者企而可及（卷五），這或者跟當時開科取士有關，皎然最初的意思只是爲了提示品式，指出門徑，但《詩式》對晚唐五代詩格的寫作方式，及司空圖以下神韻性靈一派的詩論，有著極大的影響，這不是書成當時所能預知的。所以,《詩式》的評價,是在司空圖提出二十四品,和味外之旨之後,才眞正樹立起來,而且繼續影響嚴滄浪的「興趣」,王漁洋的「神韻」,袁隨園的「性靈」等各家詩說。

皎然《詩式》最顯明可見的一次影響,當是「正字王元」的「擬皎然十九字體」,陳振孫《直齋書錄解題有「擬皎然十九字」一卷即是。(今本「擬皎然十九字體」前另有八十多首詩例案語,合稱爲《詩中旨格》)。王元擬皎然十九字體,並非重擬詩體,而是以皎然提出的十九字加以解說(其解說有跟各本詩式不同者,俱見第四節),而後另舉一詩例附在各體之後。可以說,基本上,王元是皎然十九體的擁護者。

晚唐五代詩格之書盛行,而其寫作方式大抵仿自皎然《詩式》:

如僧齊己撰《風騷旨格》,其中有「詩有六義」,「詩有十體」,「詩有十勢」,「詩有二十式」,「詩有四十門」,「詩有三格」,各體各格之下皆舉有詩例。

如徐寅撰《雅道機要》,書中有「明門戶差別」,「明意包內外」各條,有敍體格的「十一不」,敍磨鍊的「三格」。

這是體例的相似。也有在內容方面襲用的,如僧文彧的《詩格》論詩有十勢:「一曰芙蓉映水勢,二曰龍潛巨浸勢,三曰龍行虎步勢,四曰獅擲勢,五曰寒松病枝勢,六曰風動勢,七曰驚鴻背飛勢,八曰離合勢,九曰孤鴻出塞勢,十曰虎縱出群勢。」其中四勢襲用皎然詩家品藻的條目,皎然原文:一曰百葉芙蓉菡萏照水,二曰龍行虎步氣逸情高,三曰寒松病枝風擺半折。

爲什麼晚唐以後，有這許多歸類分型而以詩例實之的詩格？而且大都仿學皎然《詩式》的條例？羅根澤《晚唐五代文學批評史》第二章和第三章專講「詩格」，他以爲晚唐五代詩格的興起，「其歷史的領導者是初盛唐的對偶說，社會的助力則是由於時代喪亂，逼著朝野上下的文人，走到消遣玩味的逃避現實的文藝路上。」郭紹虞的《中國文學批評史》則在第三十二節「司空圖詩品」中提到：「當時論詩格詩式詩例一類的著作，特別發展，不外兩種原因：一種是當時士子專爲應擧的需要，講些作法，用來備人作『敲門磚』之用。……另一種是出於釋子之作，和尚本是出世的人，旣要脫離現實，而又要依附風雅，那就只能重在講究格律方面。」這兩種見解大抵是就社會環境的觀點而言，如果從文學和理論本身的發展史來看，一種文學發展到某一階段，才可能產生關於此種文學的理論和批評，所以皎然《詩式》的成書是在中唐時代，晚唐以後，唐詩的發展已到了最後的高峯（晚唐詩的兩大主流，一是冷僻奇險，一是豔麗唯美），大批整理且分類當時詩作的詩格著作，因以問世，同時，晚唐詩風旣是以冷僻、唯美爲中心，詩格自不能不講究格律，體勢，鍊字等事，而皎然《詩式》剛好偏重於條列品式，乃成爲當時的唯一範本。這種先有文學後有理論的歷史意識，實際上才是眞正促成晚唐五代詩格發達的主因，因爲「時代喪亂」「應擧需要」「和尚依附風雅」，都不是晚唐五代獨有的特色。所以，雖然唐詩發達，唐人詩話並不發達，而皎然《詩式》的成就和影響，更覺珍貴了。

最珍貴的，自然是皎然從本質上影響司空圖以下的詩論這點，皎然「但見情性，不睹文字」的詩觀，可說是中國主張以禪入詩，以詩見味的各家詩論的濫觴，有皎然零碎的發現，才有司空圖成套的發揮，雖然司空圖是有唐一代最重要的詩論家，是詩佛王維這一系統的詩作代言人，但是提到司空圖的《詩品》，必須先論及皎然《詩式》，以下將次第探研他們之間的緊密關係。

先比較文字和內容上的沿襲：

司空圖講雄渾，豪放，皎然明勢條云「縈回盤礡，千變萬態」「極天高峙，崒焉不群」「修江耿耿，萬里無波」，十九體「風情耿耿曰氣」，詩有四深言「氣象氤氳」「意度盤礡」，皆是司空圖這兩品的前身。

司空圖有纖穠，綺麗，自然，皎然七至有「至麗而自然」，七德之三爲「典麗」，自然之說更爲皎然詩觀的根本。司空圖主張高古，飄逸，皎然七德之二爲「高古」，其四爲「風流」，十九體最先的兩體就是「高」「逸」。

皎然十九體，「緣情不盡曰情」，「氣多含蓄曰思」，司空圖則有含蓄，委曲兩品。皎然「情性疏野曰閑」，司空圖有疏野一品。「心迹曠誕曰達」，司空圖有曠達品。「傷甚曰悲」，司空圖有悲慨品。「體裁勁健曰力」，司空圖有勁健品。

從以上大要的列舉，兩者之間的貌似已可見得。接著再看形象化用語的影響：

評論詩文，不用抽象的名詞，而用比擬的形象化用語，在皎然之前已有人使用，六朝時鍾嶸《詩品》引湯惠休謂謝靈運詩如出水芙蓉，顏延之詩似鏤衣錯采，已開其端，中唐時，韓愈、皇甫湜等人更是大加創造，如韓愈「醉贈張祕書詩」：「君詩多態度，靄靄春空雲，東野動驚俗，天葩吐奇芬，張籍學古淡，軒鶴避鷄群。」到了皎然，以這種形似用語論詩，已經頗有成就，如〈明勢〉條所言：「修江耿耿，萬里無波」等語，〈跌宕格越俗品〉云：「其道如黃鶴臨風，貌逸神王，杳不可羈」，〈駭俗品〉云：「其道如楚有接輿，魯有原壤，外示驚俗之貌，內藏達人之度」。〈淈沒格淡俗品〉云：「此道如夏姬當壚，似蕩而貞，采吳楚之風，雖俗而正」。再如〈品藻〉條所言：「其華豔如百葉芙蓉，菡萏照水，其體裁如龍行虎步，氣逸情高，脫若思來景遏，其勢中斷，亦有如寒松病枝，風擺半折。」這種形象化的譬喻之詞，直接啓廸了司空圖寫作二十四詩品。

司空圖《二十四詩品》，皆以十二句韻語寫成，每一品藉形象化的語詞，模擬詩的風格，如「典雅」云：「玉壺買春，賞雨茅屋。坐中佳士，左右脩竹。白雲初晴，幽鳥相逐。眠琴綠陰，上有飛瀑。落花無言，人淡如菊。書之歲華，其曰可讀。」這種影響顯然來自血緣關係最近的《詩式》，但司空圖《詩品》更加淨化，更加美化，而成爲《詩品》的最大特色。分析這種形象化的擬喻，大約以五類做爲比擬，一是人物：如坐中佳士，二是植物：如落花無言，三是動物：如幽鳥相逐，四是器物：如眠琴綠陰，五是景物：如白雲初晴。這五類擬喻，在皎然詩式中已經運用頗佳，錯綜得法，其評價之高，自不待言。

最後提到風格和韻味的問題。

司空圖以二十四品講述詩的二十四種風格，皎然以十九字括詩之體，雖然司空圖的分類較爲清楚明確，但就前面初步對照而言，二十四品與十九體的關係非常密切，而這種就詩論詩，崇尚風格的詩論，卻與中唐時代元白等人的重視現實生活，成爲壁壘分明的兩種不同詩論。事實上，這種講究風格的詩論，在中國詩的發展過程中，佔著較爲重要的優勝地位，一則由於重視現實的生活詩，勢必也要講求詩的技巧和風格，而講求風格的詩論並未棄絕生活詩的成就。二則由於中國傳統的儒家和道家思想，以及隋唐以後的禪宗體悟，影響詩人甚深，這三種思想的融合，根本上即偏向於自我內斂的心性修養，期求精神境界的超越和提昇。

所以，崇尚風格之後，自會繼續講求味外之旨，《詩式》說：「兩重意以上，皆文外之旨，若遇高手，如康樂公，覽而察之，但見情性，不睹文字，蓋詩道之極也。」（卷一重意詩例），又說：「康樂公早歲能文，性穎神澈，及通內典，心地更精，故所作詩，發皆造極，得非空王之道助耶？」（卷一文章宗旨），這樣的見解正是司空圖以韻味爲基礎的詩論先聲，司空圖在二十四品中曾言「不著一字，盡得風流」，而在〈與李生論詩書〉中說：「文之難而詩之難尤難，古今之喻多矣。而愚以爲辨於味，而後可以言詩也。江嶺之南，凡足資於適口者，若醯非不酸也，止於酸而已，若鹺非不鹹也，止於鹹而已。中華之人所以充飢而遽輟者，知其鹹酸之外，醇美者有所乏耳。」又說：「近而不浮，遠而不盡，然後可以言韻外之致耳。」

當然，皎然已經以「禪者之意」來看詩，而且極力追求詩的神詣，但是無可否認，皎然的詩觀並不是完整的主張神韻的詩論，《詩式》一書的價值並不在於全書構成的精嚴理論體系，所以，《詩式》的評價必需從其吉光片羽中來估量。

第四章　舊題王昌齡撰的《詩格》與《詩中密旨》

王昌齡，字少伯，《新唐書》〈文藝傳〉說他是江寧人，《舊唐書》〈文苑傳〉作京兆人，《唐才子傳》作太原人。開元十五年進士。曾爲龍標尉，世稱王龍標。天寶末年爲刺史閭丘曉所殺。

王昌齡的詩極佳，內容方面多邊塞豪邁之氣，閨怨別離之情，形式方面則以絕句見長，尤以七言爲工，清人王士禛《唐人萬首絕句選》凡例說：「七言絕句，初唐風調未諧。開元、天寶諸名家無美不備，李白、王昌齡尤爲擅場。昔李滄溟推『秦時明月漢時關』一首壓卷，余以爲未允，必求壓卷，則王維之『渭城朝雨』，李白之『朝辭白帝』，王昌齡之『奉帚平明』，王之渙之『黃河遠上』，其庶幾乎？而終唐之世，絕句亦無出四章之右者矣！」從絕句和邊塞詩的成就而言，王昌齡的評價甚高，如清人沈德潛的《唐詩別裁集》對於昌齡的絕句也加以褒揚：「龍標絕句，深情幽怨，意旨微茫，令人測之無端，玩之無盡。」

詩論方面，《新唐書．藝文志》文史類，《崇文總目》，均載有王昌齡《詩格》二卷，至陳振孫《直齋書錄解題》分爲《詩格》一卷，《詩中密旨》一卷，《宋史．藝文志》等皆依之，但《直齋書錄解題》斥其爲僞書，今其眞僞已不可考。羅根澤《隋唐文學批評史》第二章第五節曾言：「《祕府論地卷論體勢類的第十七勢，南卷論文意類最前所引或曰四十餘則，皆疑爲眞本王昌齡詩格的殘存。」其主要論據爲：此兩處皆有「王氏論文云」五字，而遍照金剛以前研究詩格詩勢且姓王的，止有王昌齡一人，《宋史·藝文志》載有王維詩格一卷，但新舊唐志均未載，疑出後人僞作；且篇中引及兩人詩作時，王維則姓名全舉，王昌齡則名而不姓，故定作者爲王昌齡。又，《祕府論》南卷論文意類（旁注曰：王氏論文云），有與今本《詩中密旨》「句有三例」相同者，西卷論病類有跟《詩中密旨》「犯病八格」相同者，地卷十四例類中有九例跟《詩中密旨》「詩有九格」相同者，而《祕府論》在中國舊無流傳，當然是《祕府論》鈔《詩中密旨》，所以《詩中密旨》是僞中有眞。同時，《文鏡祕府論》地卷論體勢類的十七勢中有「生煞迴薄勢」，而南卷論文意類亦云：「夫詩有生煞迴薄，以象四時」，兩者同爲王昌齡《詩格》或可無疑。（此段文字係運用羅著《隋唐文學批評史》第二章第五、六、七節所寫成，論述次序頗有變易，請參看）。

王昌齡《詩格》、《詩中密旨》，若爲後人僞作，當不晚於宋代，書中所舉詩例皆爲初唐以前作品，言其眞中有僞，僞中有眞，確是中肯之語。研究《詩格》《詩中密旨》其中雖有瑣碎而無當之論，但亦有足爲今人參考者，爲省事及簡明起見，特依原書次序條列說明如次：

先述《詩格》

⑴**詩有三境**：「一曰物境，欲爲山水詩，則張泉石雲峯之境，極麗絕秀者，神之於心，處身於境，

視境於心，瑩然掌中，然後用思，了然境象，故得形似。二曰情境，娛樂怨愁，皆張於意，而處於身，然後馳思，深得其情。三曰意境，亦張之於意，而思之於心，則得其眞矣。」此三境之說，是昌齡詩格的一個重要理論，由物境、情境而至意境，愈進愈至上乘。物境之說，最可注意的是「神之於心，處身於境，視境於心」（似乎是三個先後有分的步驟），外物的形象用心去領會，同時以身處於其中，然後再以心觀察其境，這三個步驟其實就是心與境的完整溝通過程，經由這種心物合一的省察，然後用思，可以得其形似。到了情境的展開，喜怒哀樂等情覺作用，由詩人自身開張其意，濾棄衝動、情緖，然後馳思，可以得其情深。最後一境是意境，感情昇華以後，張之於意，思之於心，然後得其意眞。這裡所提到的「意」相當於今日所說的「知性」「思想性」，在第一境中，未提及「意」的存在，第二境時以情爲先，第三境才以意爲主，這個物境→情境→意境的過程，可以說是由心物合一以至於知性感性融洽的過程，其中最重要的一個力量，就是：「思」，有「思」的介入才有「境」的給出，足見昌齡詩格對「思」的重視，以下論詩的三格，其實也是論思的三種方式。

(2)**詩有三格**：「一曰生思，久用精思，未契意象，力疲智竭，放安神思，心偶照境，率然而生。二曰感思，尋味前言，吟諷古制，感而生思。三曰取思，搜求於象，心入於境，神會於物，因心而得。」生思，正是我們所常言的「靈感」的由來，由於「久」用「精」思而未契意象，所以力疲智竭，暫時放安神思（據弗洛依德心理學派的見解，應該是抑於潛意識之內），日久之後，心偶照境（外界相關事物突然給予刺激），率然而生，彷彿神助一般，這就是「生思」，也就是今人所說的「靈感」。至於感思，是由感動而來，在尋味前言，吟詠古制時，有所感動而生思。「取思」之義，則略用「物境」的取得，是心與境的交融，神與物的會晤，順利時便因心而得，不順利而未契意象，則需靜待時日，放安神思，以等待某日「心偶照境」，可以率然而「生思」。這是「思」的三種方法，亦爲詩格中的重要理論。

(3)**起首入興體十四**：「興」本是中國自古以來三種作詩方法之一，「興」一般解釋爲引彼物以吟詠此物，兩物之間通常沒有十分緊密的關係，如詩經「關關雎鳩，在河之洲，窈窕淑女，君子好逑」，是借鳥叫關關，以吟起君子淑女的匹配，並未有特殊相關意義在內，此處以起首處的入興方法分類爲十四種，對於執筆而無法下筆的人或者有所助益。一曰感興入興，二曰引古入興，三曰犯勢入興，四曰先衣帶後敍事入興，五曰先敍事後衣帶入興，六曰敍事入興，七曰直入比興（或疑爲「直比入興」），八曰直入興，九曰託興入興，十曰把情入興，十一曰把聲入興，十二曰景物入興，十三曰景物兼意入興，十四曰怨調入興。

(4)**常用體十四**：此蓋文體之分，但所據標準未爲統一，嫌其冗雜混亂，一曰藏鋒體，二曰曲存體，三曰立節體，四曰褒貶體，五曰賦體，六曰問益體，七曰象外語體，八曰象外比體，九曰理入景體，十曰景入理體，十一曰緊體，十二曰因小用大體，十三曰詩辨歌體，十四曰一四團句體。

(5)**落句體**：前面起首入興體是詩的開頭作法，此處落句體則爲結束語的七種形態，一曰言志，二曰勸勉，三曰引古，四曰含思，五曰歎美，六曰抱比，七曰怨調。此種分類，無甚可觀，落句體中只有「四曰含思」值得提出特別說明，《文鏡祕府論》地卷論體勢類的十七勢中，有「含思落句勢」，其解說如下：「含思落句勢者，每至落句，常須含蓄，不令說盡思窮。或深意堪愁，不可具說，即上句爲意語，下句以一景物堪愁與深意相愜便道，仍須意出成感人始好。」餘體平平，未有創見。

以上「起首入興體」「常用體」「落句體」等三種，與《祕府論》地卷論體勢類的十七勢，有某些相同之處，茲誌其名於後，以比較其同異，有意研究者當直接參看《祕府論》原文。

十七勢：第一直把入作勢，第二都商量入作勢，第三直樹一句第二句入作勢，第四直樹二句第三句入作勢，第五直樹三句第四句入作勢，第六比興入作勢，第七讉比勢，第八下句拂上句勢，第九感興勢，第十含思落句勢，第十一相互明勢，第十二一句中分勢，第十三一句直比勢，第十四生煞迴轉勢，第十五理入景勢，第十六景入理勢，第十七心期落句勢。

(6)**詩有三宗旨**：一曰立意，二曰有以，三曰興寄。此條當係「文以載道」「詩以言志」之義，同時較爲偏向於正統道德意識之歸趨。

(7)**詩有五趣向**：一曰高格，二曰古雅，三曰閒逸，四曰幽深，五曰神仙。這五種趣向，立意甚高，幾乎可以說是五種最高的詩之境界，能達及其中一種便足以名家，如果王昌齡之時已能標舉出這五種趣向，實係難能可貴之事。

(8)**詩有語勢三**：一曰好勢，二曰通勢，三曰爛勢。此條晦澀難解。

(9)**勢對例五**：一曰勢對，二曰疎對，三曰意對，四曰句對，五曰偏對。郭紹虞的批評史說他「巧立名目」，以為「文鏡祕府論彙輯諸家論對之例，無『勢對』『疎對』之目，即其他名稱相同者，而舉例與解釋亦不相同，疑在祕府論後。」這五目的對偶說，既不齊整，又欠成熟，郭氏懷疑它在《祕府論》後，實不如懷疑在《祕府論》之前較為合理，因有這種不成熟之對偶觀念，才有《祕府論》較為完整的彙集和解說。

⑽**詩有六式**：一曰淵雅（如或一覽意窮，謂之浮淺），二曰不難（此謂絕斧斤之痕也），三曰不辛苦（此謂婉而成章也），四曰飽腹（調怨閑雅，意思縱橫），五曰用事（謂如己意而與事合），六曰一管摶意。此六式，原目和說解俱佳，中國詩人對於作詩方法的運用，大抵不出此六式，值得詳加探討。

⑾**詩有六貴例**：一曰貴傑起，二曰貴直意，三曰穿穴，四曰挽打，五曰出意，六曰心意。此亦難解之論。

⑿**詩有五用例**：一例勝於一例，一曰用字（用事不如用字也），二曰用形（用字不如用形也），三曰用氣（用形不如用氣也），四曰用勢（用氣不如用勢也），五曰用神（用勢不如用神也）。列表如下：

用神 ⇦ 用勢 ⇦ 用氣 ⇦ 用形 ⇦ 用字 ⇦ 用事

由此表可以見出中國詩人追求的是什麼？

再敘《詩中密旨》

(1)**詩有六病例**：一曰齟齬病，二曰長擷腰病，三曰長解鐙病，四曰叢雜病，五曰形迹病，六曰反語病。此六病於今日詩人無涉，不贅敘。

(2)**句有三例**：此言一句見意，兩句見意，四句見意爲句之三例。

(3)**詩有二格**：詩意高謂之格高，意下謂之格下。未加解析。

(4)**犯病八格**：一曰支離病，二曰缺偶病，三曰落節病，四曰叢木病，五曰相反病，六曰相重病，七曰側對病，八曰對聲病。此犯病八格及上列「詩有六病例」，皆見《祕府論》西卷論病類，及南卷論文類。

(5)**詩有九格**：一曰重疊用事格，二曰上句立興下句是意格，三曰上句立興下句是比格，四曰上句體物下句狀成格，五曰上句體時下句狀成格，六曰上句體事下句意成格，七曰句中比物成語意格，八曰句中疊語格，九曰句中輕重錯謬格。此九格亦見於《祕府論》地卷十四例類，然較《祕府論》短少，同時也可跟「十七勢」相比照。

(6)**詩有三格**：此亦言「格」，但與上述九格不同；一曰得趣，謂理得其趣，詠物如合砌爲之上也。二曰得理，謂詩首未確語不失其理，此謂之中也。三曰得勢。

唐以後詩格之書盛行，但多晦澀之作，其中偶有璞玉，惜爲數甚少，重讀王昌齡《詩格》可見發掘寶藏之意義。

第五章　齊己的《風騷旨格》

晚唐諸家詩格著作，大抵以齊己的《風騷旨格》爲典型作品，格有法式之意，因此，從王昌齡《詩格》而降，都用條列方式寫成，且大都以「詩格」名書，其中雖有皎然《詩式》獨以「式」表名，齊己稱所作爲《風騷旨格》，徐寅題以《雅道機要》，但是，察其內容，卻不外乎技巧、格律的分析，詩觀的布達。詩格的興盛期，應是晚唐五代以至宋初這段期間，初盛唐時，雖然也有題爲王昌齡、李嶠、白樂天、賈島等人撰的詩格著作，然其眞僞莫辨。所以，晚唐以後，詩格之書風行，而齊己的《風騷旨格》成爲寫作格式的一大典型。

齊己本姓胡，名得生，著有《白蓮集》十卷，末載〈風騷旨格〉一卷（據津逮祕書本毛晉跋），其寫作方式即先立格法，而以詩例見意，不另外賦予解說。朱東潤《中國文學批評史大綱》雖然責其「詞鄙喻陋」，如果加以揀尋，仍然不難發現一些可觀之論，今按原書體例依次論述：

一、六詩

一曰大雅，二曰小雅，三曰正風，四曰變風，五曰變大雅，六曰變小雅。

《詩經》國風從〈關雎〉至〈騶虞〉二十五篇謂之正風，從〈邶風〉至〈豳風〉一百卅五篇爲變風。小雅自〈鹿鳴〉至〈菁菁者莪〉二篇爲正小雅，自〈六月〉至〈何草不黃〉五十八篇爲變小雅。大雅自〈文王〉至〈卷阿〉十八篇爲正大雅，〈民勞〉至〈召旻〉二十三篇謂之變大雅。正變相對而言，〈詩序〉：「至於王道衰，禮義廢，政教失，國異政，家殊俗，而變風變雅作矣。」孔疏：「變風、變雅之作，皆王道始衰，政教初失，尚可匡而更之，追而復之，故執彼舊章，繩此新失，覬望自悔其心，更遵正道，所以變詩作也，以其變改正法，故謂之變焉。」齊己首言六詩，其意當以詩經正變之說延用於唐詩，然唐詩究竟與詩經不同，所以，舉例明「大雅」「小雅」時，分別舉「一氣不言含有象，萬靈何處謝無私」及「天流浩月色，池散芰荷香」爲例，與詩經之言大雅小雅，已經有所殊異，詩序以爲政有大小，故有小雅大雅之分，「詩經原始」中另創新意：「雅有大小之分，自來諸儒未有確論，故或主政事，或主道德，或主聲音，皆非；然則大小之分，究何以別之？曰：此在氣體輕重，魄力厚薄，詞意深淺，音節豐殺者辨之而已，大略小雅多燕饗贈答，感事述懷之作，大雅多受釐陳戒天人奧蘊之旨。」就以上所引有關詩經原來對「風」「雅」的釋說，及齊己的詩例，大抵可以了解六詩的不同，如大小雅的不同在於氣象大小的不同；正變的不同，在於正風正雅（正小雅與正大雅合稱「正雅」）以抒寫天然景物和心意爲主，變風變雅則以非常的空冷、肅殺、卑微爲內容。

二、詩有六義

六義之說，本起於《周禮》〈春官〉大師：「教六詩：曰風、曰賦、曰比、曰興、曰雅、曰頌。」〈詩大序〉依據此說而言「詩有六義」，《周禮》鄭注對此六義曾有解說：「風，言聖賢治道之遺化。賦之言鋪，直鋪陳今之政教善惡。比，見今之失，不敢斥言，取比類以言之。興，見今之美，嫌於媚諛，取善事以喻勸之。雅，正也，言今之正者，以爲後世法。頌之言誦也，容也，誦今之德，廣以美之。」其觀點雖然以「詩教」爲基本準則，但後來各家對六義的解說，大都由此發展而出。如《風騷旨格》舉「高齊日月方爲道，動合乾坤始是心」作爲「風」的詩例，以「丹頂西施頰，霜毛四皓鬚」爲比，即是沿襲鄭注而發展。

三、詩有十體

十體包括高古、清奇、遠近、雙分、背非、虛無（一作無虛）、是非、清潔、覆粧、闔門。十體中唯「高古」與「清奇」較具價值，其餘八體或者晦澀難懂，或者粗俗平庸。高古的詩例是：「千般貴在無過達，一片心閒不奈高（高字一作何）」，頗能見出高古之境。清奇的詩例是：「未曾將一字，容易謁諸侯」，未曾將一字是清，容易謁諸侯是奇，清奇的涵意似乎跟司空圖詩品「不著一字，盡得風流」之意相通，可見齊己也有詩要含蓄的意圖。

六詩及詩有六義，是齊己依據詩經原有的舊說來論詩，而從「詩有十體」開始，都是齊己獨創的格法，詩格的好處在於每個著作者都能立下名目，闡發己意，但其缺點也正在此，每一詩格所立的門類很少有嚴格的分類標準，詩之爲十體、八體並沒有不可移易的道理在，同時，風騷旨格「詩有十體」中有是非、清潔等體，「詩有四十門」中也有是非清潔等門，且所舉詩例完全相同，就是分類準則未能確立的一個有力證據，十體、二十式、四十門之間，無法尋出它們不同的一定法則。

即使分類準則可以確立，所定的格法有時也難免「巧立名目」之嫌，而且只以詩例見意，不加說明，更增加後人叢生疑竇之煩，如以下所言的十勢，就失去論理的精確性。

四、詩有十勢

齊己分詩爲十勢：獅子返擲勢，猛虎踞林勢，丹鳳銜珠勢，毒龍顧尾勢，孤雁失群勢，洪河側掌勢，龍鳳交吟勢，猛虎投澗勢，龍潛巨浸勢，鯨吞巨海勢。

這種以動物的姿勢來形容詩所給人的各種印象，詩格、詩評的著作時有所見，如僧文彧、梅聖喩等人也有十勢八勢之說。此一手法在論及皎然《詩式》時曾作探討，司空圖廿四詩品是這種形象化用語最高發揮的典型之作，如言纖穠爲「采采流水，蓬蓬遠春，窈窕深谷，時見美人。碧桃滿樹，風日水濱，柳陰路曲，流鶯比鄰」，不只用語典雅，更能味出意、境，無怪乎詩品地位獨樹一幟。齊己的十勢則無能達於此種佳境，因爲一則體例自限於動物姿勢的變換，未能放手尋求更爲恰當的形像，二則企圖以四個字和兩句詩表露詩所予人的感受，難免技窮，三則各個法式的涵指有欠明確，如洪河側掌勢，龍潛巨浸勢，無法探求其義。所以，宋蔡寬夫詩話譏爲「俗流」，說是「好妄立格法」。但是，其中也有足以引人思考者，如「毒龍顧尾勢」，詩云：「可能有事關心後，得似無人識面時」，如「龍鳳交吟勢」，詩云：「崑玉已成廊廟器，澗松猶是薜蘿身」，前者言詩要有瞻前顧後的「秩序」，後者即「對比」應用的提倡，都是可以探究的觀念。

五、詩有二十式

式爲格式、方法之意，但在《風騷旨格》的這二十式中，有言詩境的，如高逸（詩曰：夜過秋竹寺，醉打老僧門），有言詩法的，如直擬（詩曰：禹力不到處，河聲流向西），有言詩義的，如迴避（詩曰：鳥正啼隋柳，人須入楚山）。其中雖論詩法者爲多，但已失其純淨性。

二十式之名與詩例，大抵可以理解，此與四十門一樣細碎，一樣可懂，列其二十式如次：出入，高逸，出塵，迴避，並行，艱難，達時，度量，失時，靜興，知時，暗會，直擬，返本，功勳，拋擲，背非，進退，禮義，兀坐。

六、詩有四十門

四十門是：皇道，始終，悲喜，隱顯，惆悵，道情，得意，背時，正風，反顧，亂道，抱直，世情，康救（一作求），貞（一作眞）孝，薄情，忠正，相成，嗟嘆，俟時，清苦，騷愁，睠戀，想像，志氣，雙擬，何時，傷心，鑒戒，神仙，破除，蹇蹇，紕繆，世變，風雅（一作正氣），嗟嘆（與第十九門同，一作悲涼），是非，理義，清潔。

由以上所列，知此四十門是以詩的取材範圍而分，其準則仍然未能清晰而確切。同時，由於題材的選擇影響了表現時的方法和表現後的體裁，四十門與前面十體，二十式有其雷同和相似之處。四十門的詩例，在《風騷旨格》中最能表達出「格」的含蘊，其原因當是四十門乃題材之分類，較易分析而見其意旨，如悲喜：「兩行燈下淚，一紙嶺南書」，惆悵：「此別又千里，少年能幾時」，道情：「誰來看山寺，自是掃松門」，嗟嘆：「淚流襟上血，髮變鏡中絲」。

考察這四十門，大抵可以深信詩以感性爲主要內容，如悲喜，惆悵、道情、得意、世情、薄情、忠正、嗟嘆、清苦、騷愁、睠戀、傷心、風雅等，皆是情覺產物。此四十門中雖以題材分類爲主，偶而也參雜作詩方法，如想像（詩云：溪霞流火色，松月照爐光），雙擬（詩云：瞑目瞑心坐，花開花落時），實是單純的作詩方法，而與題材無涉。

七、詩有六斷

六斷，一曰合題，二曰背題，三曰即事，四曰因起，五曰不盡意，六曰取時。

「合題」，詩云：「可憐半夜嬋娟月，正對五侯殘酒巵」，其意不甚明，似爲後句承前句之意。

「背題」，詩云：「尋常風雨夜，應有鬼神看」，則前後兩句意互有異趣。齊己「六斷」的合題與背題，可以跟桂林淳大師「詩評」的「詩有二斷」相比較，淳大師的二斷，一曰離題斷，二曰抱頭斷，正是背題，合題之意。

「即事」，詩云：「翻嫌易水上，細碎動離魂」，跟六義中「賦」的定義相彷彿，就某事而引發。「因起」，詩云：「閒尋古廊畫，記得列仙名」，則與「興」同義，先言此事，以起彼事。六斷也是指陳作詩的方法，較前述各項具體而可行。

「不盡意」，詩云：「此心只在相逢說，時復登樓看遠山」，此條即「言有盡而意無窮」之意，更進一步言，則是「盡在不言中」的禪境，跟前面詩有十體中「清奇」的詩例：「未曾將一字，容易謁諸侯」可以互相參證。

「取時」，詩云：「西風起邊鴈，一一向瀟湘」，此條跟詩有二十式中的「知詩」（詩云：前村深雪裏，昨夜一枝開）同義，也就是對於「時」與「事」之間不可相互違背。《風騷旨格》中言及「時」的地方甚多，如「二十式」有「達時」「失時」「知時」等三式，「四十門」中有「背時」「俟時」「向時」等三門，而六斷中則有「取時」一目，足見齊己於詩中時序的重視，遠較一般詩格著作者爲多。

八、詩有三格

一曰上格用意，二曰中格用氣，三曰下格用事。

這也是鍾嶸反對用典用事之意，拘泥於事，無所發揮，是詩家最忌諱之事，因此，王昌齡《詩格》有「五用例」也以「用事」爲最下。用氣爲中格，因其未達於純淨之境，雖較用事者貫串無拘，總是未經沈思而得，不能爲上格，上格惟用意得之，這點可與王昌齡「詩有三境」同觀。中國詩論家一向贊成由感興入手而得言外之意，齊己也是這一詩論主流的擁戴者。

第六章　徐寅的《雅道機要》

徐寅，《五代詩話》卷六引「湧幢小品」謂：「徐寅，莆田人，乾寧中進士，海內多故，依王審知。嘆曰：丈尺之水安能客萬斛之舟，隱居終身。」又言：「寅有探龍釣磯二集，作詩甚多。」《宋祕書省四庫闕目》文史類，載《雅道機要論》一卷，未著作者。陳振孫《直齋書錄解題》載「雅道機要」二卷，言「前卷不知何人，後卷稱徐寅撰。」今《詩學指南》等書皆載一卷，題徐寅撰，其前五條「明門戶差別」、「明聯句深淺」、「明勢含升降」、「明體裁通變」、「明意包內外」，都以「明」字標目，其後八條標目則以「敍」字爲首字，似有截然劃分之意，不知是否陳振孫前卷後卷之意。且前面以「明」字爲首的五條，除「明意包內外」，都與齊己《風騷旨格》的四十門，二十式，十勢，十體相似，有鈔襲之嫌，因此可能《直齋書錄解題》以爲有所疑問，不敢斷定是徐寅所作，所以有「前卷不知何人，後卷稱徐寅撰」的說法。

先討論「明」字爲首的五條：

一、明門戶差別

徐寅以爲「門者，詩人所通也，如人門戶，未有出入不由者也。」列二十門如次：隱顯，惆悵，相成，亂道，抱直，世情，正敕（風騷旨格無此門），嗟嘆，俟時，清苦，騷愁，睠戀，志氣，雙擬，向時，傷時（風騷旨格原作傷心），鑒識（風騷旨格作鑒戒），神仙，塞蹇（風騷旨格作蹇塞），動靜（風騷旨格無此門）。

二、明聯句深淺

徐寅說：「句者拘也，或三字、五字、七字，皆約情實之事。」徐寅列有二十種句，與風騷旨格二十式略同，不同者只有不對句，十字句，悲喜句三種（風騷旨格四十門中有悲喜門）。

三、明勢含升降

徐寅說：「勢者，詩之力也，如物有勢即無往不克。」共有八勢，其中洪河側掌勢，丹鳳銜珠勢，孤雁失羣勢（風騷旨格原闕詩例，以「人情苟且頭頭見，世路欹危處處驚」補之），猛虎跳澗勢（原作猛虎投澗勢），龍鳳交吟勢，猛虎踞林勢，皆出自齊己「詩有十勢」，另有二勢，雲霧繞山，孤峯直起，爲其獨創。

四、明體裁變通

徐寅釋云：「體者，詩之象，如人之體象，須使形神豐備，不露風骨，斯爲妙手。」後列十體，與齊己十體全同。以上四條，《詩學指南》本皆未載細目，但注有「後列齊己二十式」之類的說明。

五、明意包內外

釋云：「內外之意，詩之最密也，苟失其轍，則如人之去足，如車之去輪，其何以行之哉！」此條言詩需有外內兩層意義，外意重在形象的體會，內意則以詩教爲重，所謂內意，也就是深蘊於詩內，需要再三思索始能體悟，如贈人：「外意須言前人德業，內意須言皇道明時。」題牡丹：「外意須言美豔香潤，內意須言君子時會。」聞蟬：「外意須言音韻悠揚，幽人起興，內意須言國風蕪穢，賢人思退之故。」有外意而無內意，則徒具辭藻而已，有內意而無外意，即成聖經教條，所以需緊密配合，意包內外。

徐寅在提出「意包內外」之後，曾給詩下一定義，字句雖簡，但頗能道出中國文化的兩大主流「儒」與「釋」對「詩」的影響（「道家」可視爲介於儒釋之間而偏向佛家的一支），其言曰：

「夫詩者，儒中之禪也，一言契道，萬古咸知。」

所謂「儒中之禪」，即從儒家的積極參予和仁道精神入門，以求取詩的最高境界——禪境的獲得，因此，既不失於空疏，也不嫌其拘泥。中國詩的最大特色可用這四字包涵無遺。

《雅道機要》接下去有「大雅」「小雅」「背時」「歌詠」「諷刺」「教化」「哀傷」「嘆恨」「感事」等九題，但未有總標目，恐有脫略，據其解說及詩例，大約是題材的分類，茲列其解說如次：

(1)大雅題天地海岳風雨四時日夜。
(2)小雅題松竹鶴僧道池亭寺觀。
(3)背時題招隱辭居思山出關。
(4)歌詠題聽琴對月賞花喜晴。
(5)諷刺題晚望落葉夕陽聞蛩。
(6)教化題警世懷居詠古嗟時。
(7)哀傷題落第病中倦客秋懷。
(8)嘆恨題宮怨檻猨病鶴逸客。
(9)感事題廢宮懷古荒宮舊居。

這九題很清楚地將詩的題材分屬於九部，而每一題所舉的例子又頗符合其意。如歌詠，舉「聽琴，對月，賞花，喜晴」，都適合吟詠歡唱的情景。如嘆恨，舉「宮怨，檻猨，病鶴，逸客」，都是必有歎息或怨恨對象者。這在「詩格」一類著作中，是難得的清醒之作。

此後有八條以「敍」字爲首的格例，分述於下：

一、敍體格

徐寅以爲「凡爲詩者先須識體格」，他說：「辭體苦淡，理道深奧，不失諷詠，語多興味；惟知十一不，則得之矣。」由此可見徐寅的詩觀，語言與內容並不偏重一方，辭體欲淡，理道則求深；諷詠不失，語要多興味。要達到此一理想，徐寅提出「十一不」，「十一不」之間相互約制，而能免除過度的偏失：

一曰不時態，二曰不繁雜，三曰不質朴，四曰不才調，五曰不囚縛，六曰不沈靜，七曰不細碎，八曰不怪異，九曰不浮豔，十曰不僻澀，十一曰不文藻。

十一不中有難以理解者，如「不時態」「不沈靜」，雖有詩例，也難索其意。但大抵可以由此探悉徐寅對詩的要求，如不繁雜、不浮豔，是求辭體苦淡，不質朴、不囚縛，是求語多興味。同時也可見得這「十一不」是從體格上，從語辭上探詩，雖然他希望「理道深奧」，但未在此處提出方法來。

二、敍句度

敍句度，是就詩句在詩中的地位，從頭分述，不是以條例方式釋明，顯得有些凌亂。較重要的論點，如：「領聯爲一篇之眼目，句須寥廓古淡，勢須高舉飛動，意須通貫，字須仔細裁剪。」如：「腹中句，勢須平律細膩，語似拋擲，意不疏脫。」又如：「斷句，勢須快速，以一意貫兩意，或背斷，或正斷，須有不盡之意，堆積於後，脈脈者有情。」從這三點可以看出詩中「句」「意」「勢」相互間的關連，譬如說：詩句不可拖累太長，意卻要貫通，勢也不能板滯。這種詩觀已隱約可見其系統了。

三、敍搜覓意

此段最能見出徐寅的詩觀，可分兩層分析：

一是「未得句先，須令意在象前，象生意後，斯爲上乎矣。不得一向只搆物象，屬對全無意味。」也就是說：作詩須先有「意」，有意而後生「象」，生象而後成「句」，意→象→句，這樣的過程是循序漸進的，如果不先令意在象前，一開始就搜尋物象，即使有了詩句，也不會有什麼意味，這正是「重意」詩觀。然而，應該如何覓意呢？

徐寅認爲「搜覓之際，宜放意深遠，體理玄微，不須急就，惟在積思，孜孜在心，終有所得。」這一節話顯然呈示三個步驟：第一需要深入，「放意深遠，體理玄微」，然後才能眞有所得，而且，惟有深入才能淺出。第二需要積聚，深入思考以後，不能一有所得就欣喜萬分，有所得不可任意地隨興發表，應該累積起來，能積才能厚，能厚才能有所得，這就是「不須急就，惟在積思」之意。第三需要恆心，永遠不倦地搜覓，「孜孜在心，終有所得」。徐寅重意積思的詩觀正是如此。

四、敍磨鍊

徐寅認爲詩須磨鍊，一曰鍊意，因爲「意有暗鈍麄落」，二曰鍊句，因爲「句有死機沈靜瑣澀」，三曰鍊字，「字有解句義同緊慢」，磨鍊的意義就在於免除以上的缺失，使「字」「句」「意」都能鮮明活潑。

五、敍血脈

其言曰：「凡爲詩須以貫四闕始末，理道交馳，不失次序，不泥題目，不惑衆議，不落諸病，不犯沈暗。」

血脈指的是詩的秩序，要求內外貫通，理道交馳，這一點也是徐寅的重要詩觀。血脈暢達以後，還要求體格的通變。

六、敍通變

「凡爲詩須能通變體格」，可以摹擬古意，但不能偷竊古人字句，要令體面不同，不可一成不變，所以他說：「凡欲題詠物象，宜密布機情，求象外雜體之意，不失諷詠，有含情久味之意。」對於「機情」「意味」的要求不改，但需要善於通變，他認爲「詩有多般通變」，同爲寄，或敍舊遊往事，或敍思詠隔闊，或敍時途更變，或敍功名未遂，或敍眞隱高尙，或敍多難旅途，或敍居處寂寥，或敍聲價祿宦，或敍景物凄涼，以上各事都能寄意，詩的通變即要求這樣的隨「意」轉換。

七、敍分剖

「凡爲詩須能分剖道理，各得其所，不可凝滯。」前言詩要「理道深奧」，但作者對此深奧理道需能剖析清楚，才能見其旨趣，否則，「逐浪隨風，迷途昧理」，終不知所之。換言之，分剖道理的功夫，實在就是追求道理的貫通，追求「意」與「勢」的變巧和暢鍊。就這點看來，徐寅《雅道機要》從「敍體格」開始的八條格例，自有他的思想脈絡可以尋求，此一脈絡或可用「敍明斷」的一節話來做證：「一篇終始之意，未形紙筆，先定體面，若先達理，則百發百中，所得之句，自有趣味。」也就是說：這是「句」「意」「勢」尋求貫通的一種詩觀。

八、敍明斷

明斷之意，除了前面所引用，尋求「終始之意」的全盤構想之外，對於字句的抉擇也負有職責，一則要求「所得之句，古之未有，今之未迹」，一則要求「字字有力任，是大匠名流不能移」，這正是「創造」和「準確」的理想，有這節對於明斷字句的論說，更形成徐寅詩觀的完整性。《雅道機要》的前半部雖有鈔襲《風騷旨格》的嫌疑，但後半部已能自成體系，隱約呈現重要詩觀，同爲提示作詩方法的詩格著作卻要比《風騷旨格》高明一些。

第七章　司空詩品與中國詩論

唐末司空圖的《二十四詩品》，每品係以四言韻語十二句寫成，意主摹神取象，締造詩的二十四種風格，在中國文學批評史上是爲特出的一篇論詩文字。

《詩品》以形象喻詞描摹詩的各種風格，分目極細，但究其全篇，彷彿有一玄妙之思貫串整體，所謂「韻外之致」「味外之旨」是也，執此以觀司空詩品，則可深契其心，得其妙微矣！

但是，嚴格說來，詩品是一篇「目的論」的論詩文字，司空圖提擧了二十四種詩的風格，展現了二十四種詩的境界，並未揭示到達此種境界的途徑。因此，本文的寫作，即是以詩品二十四目爲經，而歷代各家重要詩論爲緯，編織成脈絡分明的詩論圖。中國詩批評家對於雄渾、冲淡、纖穠、沈著、高古、典雅、洗鍊、勁健、綺麗、自然、含蓄、豪放、精神、縝密、疎野、淸奇、委曲、實境、悲慨、形容、超詣、飄逸、曠達、流動等各類風格的看法，從此可以按圖索驥，可以尋查而得。

一、雄渾

大用外腓，眞體內充。返虛入渾，積健爲雄。
具備萬物，橫絕太空。荒荒油雲，寥寥長風。
超以象外，得其環中。持之非強，來之無窮。

司空圖二十四詩品以「雄渾」爲先，楊振綱《詩品續解》以爲：「詩文之道，或自抒其懷抱，總要見得到，說得出，務使健不可撓，牢不可破，才可當不朽之一，故先之以雄渾。」並引《皋蘭課業詩品解》言：「此非有大才力大學問不能，文中惟莊馬，詩中惟李杜，足以當之。」

何謂雄？何謂渾？楊廷芝《詩品淺解》釋曰「大力無敵爲雄，元氣未分曰渾。」觀司空圖此品，以「荒荒油雲，寥寥長風」爲象，言返虛，言積健，則此雄渾詩境，當渾淪無極，氣勢壯潤。古來詩人常懸此爲的，如戴復古詩：「曾向吟邊問古人，詩家氣象貴雄渾。」陸游詩：「袖手哦新詩，清寒媿雄渾。」

詩話家以「雄渾」爲論者頗不乏人，姜白石詩話：「太凡詩自有氣象、體面、血脈、韻度；氣象欲其渾厚，其失也俗；體面欲其宏大，其失也狂；血脈欲其貫穿，其失也露；韻度欲其飄逸，其失也輕。」姜白石指陳詩之氣象欲其渾厚，而其失則易流於俗，由此反觀表聖「超以象外，得其環中」二句，正可以救其偏失，超乎象外，則不爲俗物所囿，得其環中，則足能肆應無窮，其不流於俗明矣！

由「象外」而「言外」，則有王直方詩話之言曰：「平淡不流於淺俗，奇古不鄰於怪僻，題詠不窘於物象，敍事不病於聲律，比興深者通物理，用事工者如己出，格見於成篇，渾然不可鐫，氣出於言外，浩然不可屈，盡心於詩，守此勿失。」若是，則渾然者，格也，浩然者，氣也，兩者似截然而分，實則，能雄必能渾，不渾則不雄矣！故其言曰「渾然不可鐫」「浩然不可屈」，不可鐫，非雄乎？不可屈，則渾涵一氣！雄與渾，其不可分也若是。深入而論，雄渾之氣象，又不在言詞與外貌，《蕘楚齋隨筆》引「查初白」論詩之言曰：「詩之厚在意不在詞，詩之雄在氣不在貌。」（《蓮坡詩話》亦有此說）沈德潛《唐詩別裁集》凡例：「詩貴渾渾灝灝，元氣結成，乍讀之不見其佳，久而味之，骨幹開張，意趣洋溢，斯爲上乘。若但工於琢句，巧於著詞，全局必多不振，故有不著圈點而氣味渾成者。」此固表聖「超以象外」之本意也，其後各品，亦當作如是觀。

然則，如何造致「雄渾」之境？明謝茂秦《四溟詩話》卷一有言：「體貴正大，志貴高遠，氣貴雄渾，韻貴雋永，四者之本，非養無以發其眞，非悟無以入其妙。」

先言養，謝茂秦論養之道有二，一曰「讀萬卷書，以養胸次」，杜甫詩曾云：「讀書破萬卷，下筆如有神。」《四溟詩話》復以爲「漢人作賦，必讀萬卷書，以養胸次，離騷爲主，山海經、輿地志、爾雅諸書爲輔，又必精於字書，識所從來，自能作用，若揚施戍削之類，命意宏博，措辭富麗，千彙萬狀，出有入無，氣貫一篇，意歸數語，此長卿所以大過人也。」（卷二）又云：「夫縉紳作詩者，其形也易腴，其氣也易充，貫乎經史，粹乎旨趣，若江河有源，而滔滔弗竭，欲造名家，殊不難矣。」（卷三）博聞強識，以「充其學識，養其氣魄」（《四溟詩話》語），可以「瞻而不流，制而不窘，語淳而厲，氣壯而長」（《宋史》〈王益柔傳〉語），此雄渾之境也。

二曰：「非德無以養其心，非才無以充其氣。」《四溟詩話》卷三述此甚明：「人非雨露而自澤者，德也；人非金石而自澤者，名也；心非源泉而流不竭者，才也；心非鑑光而照無偏者，神也。非德無以養其心，非才無以充其氣，心猶舸也，德猶舵也，鳴世之具，惟舸載之，立身之要，惟舵主之。」才與德二者不可偏廢，養心充氣，始克臻諸雄渾。是以，柳冕〈論文書〉亦云：「無病則氣生，氣生則才勇，才勇則文壯，文壯然後可以鼓天下之動，此養才之道也。」養才實亦養氣，孟子曰：「吾善養吾浩然之氣」是也。《詩人玉屑》卷之一有此引語：「詩卷熟讀，治擇工夫已勝，而波瀾尚未闊，欲波瀾之闊，須令規模宏放，以涵養吾氣而後可，規模既大，波瀾自闊，少加治擇，功已倍於古矣。」此段言語實已包含以上二層涵養工夫，即：讀萬卷書，養浩然氣，唯有如此，始能奮飛橫絕，摶空直上。

其次言悟，謝茂秦云：「詩固有定體，人各有悟性，夫有一字之悟，一篇之悟，或由小以擴乎大，因著以入乎微，雖小大不同，至於渾化則一也。」（卷四）表聖二十四詩品向未示人以途徑，且多形象喻詞，虛幻之境，王飛鶚《詩品續解》序，曾引程桐舫之言：「詩品貴悟不貴解。」「雄渾」品如是，其後各品當亦如是。

二、冲淡

素處以默，妙機其微。飲之太和，獨鶴與飛。

猶之惠風，荏苒在衣。閱音修篁，美曰載歸。
遇之匪深，即之愈希。脫有形似，握手已違。

表聖〈與李生論詩書〉〈與王駕評詩書〉兩信中，於王右丞、韋蘇州特加推崇，其言曰：「王右丞、韋蘇州，澄澹精緻，格在其中，豈妨於道學哉？」「右丞蘇州趣味澄敻，若清風之出岫。」表聖之所以推崇王韋，以其詩簡淡深遠，特具冲和蕭散之意。且二十四詩品中，言「典雅」則曰：「落花無言，人淡如菊」，言「綺麗」則曰：「濃盡必枯，淡者屢深」，言「清奇」則曰：「神出古異，澹不可收」，以是知表聖於冲淡詩境，特有所愛。

莊子云：「夫虛靜恬淡，寂寞無爲者，天地之平而道德之極，故帝王聖人休焉。」揚雄〈客難〉亦曰：「大味必淡，六音必希。」自是而後，詩人有追求古淡蕭遠之境者，晉之淵明，唐之王孟韋柳，乃其中大家。是以，《朱子語類》云：「作詩須從陶柳門庭中來，乃佳，不如是，無以發蕭散冲澹之趣，不免於偈促塵埃，無由到古人佳處也。如選詩及韋蘇州詩，亦不可不熟讀。」宋濂〈答章秀論詩書〉亦稱：「韋應物祖襲靈運，能一寄穠鮮於簡淡之中。」其中，淵明尤爲後人所贊頌，《西清詩話》云：「淵明意趣眞古，清淡之宗，詩家視淵明，猶孔門視伯夷也。」

《韻語陽秋》：「陶潛謝朓詩，皆平淡有思致，非後來詩人怵心劌目雕琢者所爲也。老杜云：『陶謝不枝梧，風騷共推激，紫燕自超詣，翠駮誰剪剔。』是也。大抵欲造平淡，當自組麗中來，落其華芬，然後可造平淡之境，如此，則陶謝不足進矣。今之人多作拙易語，而自以爲平淡，識者未嘗不絕倒也。

梅聖俞〈和晏相詩〉云：『因今適性情，稍欲引平淡，苦詞未圓熟，刺口劇菱芡。』言到平淡處甚難也，所以贈杜挺之詩，有『作詩無古今，欲造平淡難』之句，李白云『清水出芙蓉，天然去雕飾』，平淡而到天然處，則善矣。」

宋之時，梅聖俞所爲詩作多尚簡淡，《宋史》本傳云：「工爲詩，以深遠古淡爲意，間出奇巧。」歐陽修《六一詩話》亦曾加以詠歎：「子美筆力豪雋，以超邁橫絕爲奇，聖俞覃思精微，以深遠閒淡爲意。」又曰：「聖俞平生苦于吟咏，以閑遠古淡爲意，故其構思極艱。」歐陽修《言聖俞詩》閑遠古淡，又稱其「覃思精微」「構思極艱」，知其冲淡實由深思而得，此意當與韻語陽秋「平淡當自組麗中來」，蘇東坡與其侄書：「大凡爲文，當使氣象崢嶸，五色絢爛，漸老漸熟，乃造平淡。」（竹坡詩話）同觀，則固知冲淡之所自來矣！

東坡又云：「所貴乎枯淡者，謂其外枯而中膏，似澹而實美，淵明子厚之流是也，若中邊皆枯淡，亦何足道！佛云：『如人食蜜，中邊皆甜。』人食五味，知其甘味者皆是，能分別其中邊者，百無一二也。」（東坡全集）。由美而淡，淡中有美，東坡之論可謂完善矣。《藏海詩話》據此而有申論，曰：「凡文章先華麗而後平淡，如四時之序，方春則華麗，夏則茂實，秋冬則收斂，若外枯中膏者是也，蓋華麗茂實已在其中矣！」

《野鴻詩的》更明其意而言：「理明句順，氣斂神藏，是謂平淡，如十九首豈非平淡乎？苟非絢爛已極，未易到此。竊見詩家誤以淺近爲平淡，舉世作不經意，不費力，皮殼數語，便栩栩自以爲歷陶韋之奧，可慨也已。」此則王直方詩話引賀方回學詩句法所云：「平淡不流於淺俗」之意，是以，平淡乃絢爛至極、覃思精微以後之平淡，更上一層樓矣，非泛泛之言可相比擬。

劉克莊跋《五合齋集》：「止齋水心諸名人之作，皆以窮巧極麗擅天下，合齋之文獨古澹平粹，不待窮巧極麗，亦擅天下。」觀此，則古澹、極麗皆可名擅天下，不分軒輊，其實後村心中仍以古澹爲優，其言曰：「繁濃不如簡淡，直肆不如微婉，重而濁不如輕而清，實而晦不如虛而明。」絢爛之終要歸於平淡者在此。李東陽《麓堂詩話》亦云：「詩貴意，意貴遠不貴近，貴淡不貴濃，濃而近者易識，淡而遠者難知。如杜子美『鉤簾宿鷺起，丸藥流鶯囀。』『不通姓氏粗豪甚，指點銀缸索酒嘗。』『銜泥點涴琴書內，更接飛蟲打著人。』李太白『桃花流水杳然去，別有天地非人間。』王摩詰『返景入深林，復照青苔上。』皆淡而愈濃，近而愈遠，可與知者道，難與俗人言。」

皋蘭課業本《詩品解》云：「此格陶元亮居其最，唐人如王維、儲光羲、韋應物、柳宗元亦爲近之，即東坡所稱『質而實綺，癯而實腴，發纖穠於簡古，寄至味於淡泊。』要非情思高遠，形神蕭散者，不知其美也。」

淡者可深，可遠，可永，可久，詩人胸襟若是，詩亦若是。

三、纖穠

采采流水，蓬蓬遠春。窈窕深谷，時見美人。

碧桃滿樹，風日水濱。柳陰路曲，流鶯比鄰。

乘之愈往，識之愈眞。如將不盡，與古爲新。

詩境言「纖穠」當自司空氏始。

纖，指纖細，穠，爲穠盛。

楊廷芝《詩品淺解》言：「纖以紋理細膩言，穠以色澤潤厚言。」

孫聯奎《詩品臆說》言：「纖，細微也；穠，穠郁也。細微，意到；穠郁，辭到。」

較此二說，當以楊說爲優，以畫而論，纖穠之境當非潑墨——以水渾灑，不見筆逕；亦非寫意——但求神近，不期物似。乃工筆之仕女圖也，非僅運筆細膩，渲染精緻，且用色鮮濃，構圖工巧，所謂「窈窕深谷，時見美人」是也。然，孫聯奎「意到」之說，亦足於發表聖之意，蓋惟有遺思細纖，處事周詳，始可言其纖穠。

《臯蘭課業詩品解》合注纖穠二字云：「此言纖秀穠華，仍有眞骨，乃非俗豔。」是知纖穠又非文字表面之凡麗俗豔，《石遺室詩話》言此尤稱透澈：「詩貴風骨，然亦要有色澤，但非尋常脂粉耳；亦要有雕刻，但非尋常斧鑿耳。有花卉之色澤，有山水之色澤，有彝鼎圖畫種種之色澤。王右丞金碧樓臺山水也；陳后山淡淡靛青巒頭耳；黃山谷則加赭石，時復著色硃砂。陳簡齋欲自別於蘇黃之外，在花卉中，爲山茶蠟梅山礬。吳波不動，楚山叢碧，李太白足以當之；木葉微脫，石氣自青，孟浩然足以當之；空山無人，水流花放，韋蘇州足以當之。紛紅駭綠，韓退之之詩境也；縈青繚白，柳子厚之詩境也。」不論色澤爲何，其不得爲粗脂俗粉，殆無疑義，「纖穠」之眞諦亦於是乎在。

許彥周詩話曰：「春時穠麗，無過桃柳，桃之夭夭，楊柳依依，詩人言之也。」此指詩三百篇：「桃之夭夭，灼灼其華」，「昔我往矣，楊柳依依」兩詩，春意蓬蓬之時，無非桃紅柳綠，纖穠景象，無過於是。表聖之以「碧桃滿樹，風日水濱，柳陰路曲，流鶯比鄰。」明纖穠景象，顯纖穠韻致，其來有自。

中國文學批評勒爲專書而頗具盛名者，一爲文心雕龍，一爲鍾嶸詩品，兩書或許受時代思潮影響，亦崇穠麗之風，如文心分文章爲八體，一曰典雅，二曰遠奧，三曰精約，四曰顯附，五曰繁縟，六曰壯麗，七曰新奇，八曰輕靡。其後四體大抵與纖穠有關，此四體特質如次：

繁縟者，博喻醲采，煒燁枝派者也。

壯麗者，高論宏裁，卓爍異采者也。

新奇者，擯古競今，危側趣詭者也。

輕靡者，浮文弱植，縹緲附俗者也。

又曰：「擬諸形容，則言務纖密，象其物宜，則理貴側附。」言務纖密，理貴側附，此又纖穠品之兩大特色，不可不明。

詩品則用以評人，「晉司空張華，其源出於王粲，其體華豔，興託不寄，巧用文字，務爲妍冶。」「晉平原相陸機詩才高辭贍，舉體華美。」梁武帝〈答陶弘景論書〉曰：「穠纖有方，肥瘦相和。」則可見出文體美豔，實由纖穠爲基。而梁武帝以穠纖與肥瘦相對成文，疑有劃分「穠」「纖」爲同類二事之意，其實，纖從肌理看，穠由色相得，了然可判，肌理纖細，色相穠盛，而後自然文字精美，辭語富麗矣。

《詩人玉屑》卷四云：「要在意圓格高，纖穠俱備，句老而字不俗，理深而意不雜，才縱而氣不怒，言簡而事不晦，如此之作，方入風騷。」意圓格高而纖穠俱備，是優美詩作之所必有，如此始能不流於低俗，不落入枯槁，而可引人耳目而動人心弦。

表聖提舉此品時特言：「如將不盡，與古爲新。」則知「纖穠」又非專以求新求鮮爲務，其能不盡，當從「與古爲新」來，李德裕〈文章論〉云：「譬諸日月，雖終古常見而光景常新。」如何自古人已言之處，化腐朽爲神奇，再見其纖穠之形貌，常新之光景，此則達致「纖穠」詩境之另一階陛。

四、沈著

綠林野屋，落日氣清。脫巾獨步，時聞鳥聲。
鴻雁不來，之子遠行。所思不遠，若爲平生。
海風碧雲，夜渚月明。如有佳語，大河前橫。

《詩品淺解》釋「沈著」爲「深沈確著」，深沈，所以不浮泛；確著，所以能穩重。《朱子全書》云：「學者所患在於輕浮，不沈著痛快。」是沈著與輕浮相對而言。楊振綱《詩品續解》言「纖穠」之失曰：「纖則易至於冗，穠則或傷於肥，此輕浮之弊所由滋也，故進之以沈著。」其意亦以「沈著」救「輕浮」之弊，如此，則沈著之意復可因與輕浮相對而得其概。《宋史·虞允文傳》：「允文召對，論士風之弊，以文章進必抑其輕浮，以言語進必黜其巧僞。」輕浮，巧僞，文之大病，需加抑除，沈著之受重視亦由此起。《野鳴詩的》言：「凡詩有不足之病，即以前人對病之法治之。病在怯弱，療之以陳思；病在蒙晦，療之以記室；病在清癯，療之以光祿；病在陳腐，療之以宣城；病在沾滯，療之以參軍；病在魯鈍，療之以簡文；病在淺率，療之以開府。」如易以二十四品救之，則勁健足於救怯弱，實境足於救蒙晦，纖穠足於救清癯，新奇足於救陳腐，流動足於救沾滯，縝密足於救魯鈍，沈著則足於救淺率之病也。

《一瓢詩話》曰：「有人論詩云，詩體有六，曰雄渾，曰悲壯，曰平澹，曰蒼古，曰沈著痛快，曰優游不迫，以此六者爲體，不知者則將拗筆就體，落荒從事矣。可知此六者乃詩之氣魄，若無此氣魄，雖有佳篇，亦如廟堂中人耳。」嚴滄浪詩話曾言：「詩之品有九：曰高，曰古，曰深，曰遠，曰長，曰雄渾，曰飄逸，曰悲壯，曰淒婉。……其大概有二：曰優游不迫，曰沈著痛快。」《一瓢詩話》所指或爲嚴羽之論，然說法稍有出入，而「沈著」之被重視，不容忽略。陶明濬《詩說雜記》卷七，形容「沈著痛快」爲「傾困倒廩，脫口而出」，又曰：「必使讀吾詩者，心爲之感，情爲之動，擊節高歌，不能自己。杜少陵之詩，沈鬱頓挫，極千古未有之奇，問其何以能此，不外沈著痛快四字而已。」沈著又加上痛快，則靜態之沈著必蘊活潑之氣象，而動態之沈著更富率眞之生機；所謂靜態之沈著，「夜渚月明」是也，所謂動態之沈著，「海風碧雲」是也。沈著之義蘊由此而又增大矣。

五、高古

畸人乘眞，手把芙蓉。汎彼浩刼，窅然空縱。月出東斗，好風相從。太華夜碧，人聞清鐘。虛佇神素，脫然畦封。黃唐在獨，落落玄宗。

楊廷芝《詩品淺解》言「高則俯視一切，古則抗懷千載。」

孫聯奎《詩品臆說》言「高對卑言，古對俗言。」

高，由空間言，不卑，故可俯視萬物；古，就時間言，非今，故能抗懷千載。從此申論，則高爲高遠，古爲古奧。嚴羽《滄浪詩話》言「詩之品有九，曰高，曰古，曰深，曰遠，曰長，曰雄渾，曰飄逸，曰悲壯，曰凄婉。」陶明濬《詩說雜記》卷七：「何謂高？凌青雲而直上，浮顥氣之清莫是也。何謂古？金薤琳瑯，黼黻滿目是也。何謂深？盤谷獅林，隱翳幽奧者是也。何謂遠？滄溟萬頃，飛鳥決眥者是也。何謂長？重江東注，千流萬轉者是也。」其釋高古，未必符滄浪之意，其釋深遠，似可拓高古之境，合四品而觀，則高遠古奧之說全矣。

《李希聲詩話》云：「古人作詩，正以風調高古爲主，雖意遠語疎，皆爲佳作。後人有切近的當，氣格凡下者，終使人可憎。」（《詩人玉屑》卷之十引）。

《捫蝨新話》曰：「歐陽公能變國朝文格，而不能變詩格，及荊公蘇黃輩出，然後詩格極于高古。」

此乃詩人追求「高古」意境，推崇「高古」意境之意。《石遺室詩話》言詩有四要三弊，而三弊之來實源於四要，其中惟「興味高妙」無弊，且可濟其餘三要，使之無弊，其言曰：「詩有四要三弊：骨力堅蒼爲一要，興味高妙爲一要，才思橫溢，句法超逸，各爲一要。然骨力堅蒼，其弊也窘；才思橫溢，其弊也濫；句法超逸，其弊也輕與纖；惟濟以興味高妙則無弊。」此論尤足令人信服於高古之境，不思其他。

表聖詩品二十四，受中唐皎然《詩式》影響，詩式「辨體十九字」，其第一字即爲「高」字，且曰：「風韻朗暢曰高。」又於「詩有七德」中列「高古」爲第二，顯見高古風格實爲前人所重。皎然「詩有六迷」中，復提出「以虛誕爲高古」是其中一迷，則高古不可爲虛，不可爲誕，亦在不言之中。然則，如何達及「高古」之境？《世說新語》〈品藻〉言：「時復託懷玄勝，遠詠老莊，蕭條高寄，不與時務經懷。」朱熹則曰：「要使方寸之中，無一字世俗言語意思，則其詩不期於高遠，而自高遠矣。」

六、典雅

玉壺買春，賞雨茆屋。坐中佳士，左右修竹。
白雲初晴，幽鳥相逐。眠琴綠陰，上有飛瀑。
落花無言，人淡如菊。書之歲華，其曰可讀。

魏文帝《與朝歌令吳質書》，言徐幹著《中論》，成一家之言，「辭義典雅，足傳於後。」辭，外鑠於文字之表，義，內蘊於文字之中，兩者均須典雅，典雅則可傳後，可不朽。

典雅爲何？《詩品臆說》云：「典，乃典重。雅，即風雅、雅飭之雅。」是以，《詩品淺解》言：「典則不枯，雅則不俗。」古人爲詩，多喜用事，以爲典雅，然如紀曉嵐批《瀛奎律髓》所云：「凡用事不切，不如不用，切而不雅，亦不如不用。」必得兩相切合，用語高雅，始爲上乘。一般詩人則多「有意逞博，翻書抽帙，活剝生吞，搜新炫奇，猶夫生客滿座，高貴接談，爲主人者，虛躬浹洽，有何受用處？不若知己數人，賓主相忘，談經論史，其樂何如邪！又如借本經營，原非己物，終歲紛紜，徒見跼蹐。不若四弓之田，一畝之宮，採山釣水，嘯歌閑閑，即腰金衣紫，亦不肯與之相易也。」《一瓢詩話》，鍾嶸《詩品》亦不主用事，言「古今勝語，多非補假，皆由直尋。」用事用典，非眞能典雅，《皐蘭課業詩品解》特予指明：「此言典雅，非僅徵材廣博之謂。蓋有高韻古色，如蘭亭金谷，洛社香山，名士風流，宛然在自，是爲典雅耳。」

考諸表聖原意，亦無以用事爲典雅之辭，其言「典雅」之境，則「白雲初晴，幽鳥相逐，眠琴綠陰，上有飛瀑。」實爲閒淡蕭疎，既是即目，亦惟所見而已。

「典雅」雖不可依賴用典用事而達及，然不讀書又不可能至乎典雅之境，滄浪言：「夫詩有別材，非關書也，詩有別趣，非關理也。然非多讀書，多窮理，則不能極其至。」「典雅」一品尤須如是。《文心雕龍》云：「模經爲式者，自入典雅之懿，效騷命篇者，必歸豔逸之華。」欲成「典雅」詩風，模經效騷，方可引入。

七、洗鍊

如鑛出金，如鉛出銀。超心鍊冶，絕愛緇磷。空潭瀉春，古鏡照神。體素儲潔，乘月返眞。載瞻星氣，載歌幽人。流水今日，明月前身。

洗謂洗滌，鍊謂冶鍊。

《詩品淺解》云：「凡物之清潔出於洗，凡物之精熟出於鍊。」

《詩品臆說》云：「不洗不淨，不鍊不純。」

中國詩人一向注重鍊字造句，所謂「吟安一個字，撚斷數莖鬚。」所謂「語不驚人死不休」皆是。表聖「洗鍊」品前四句欲洗之使白，鍊之使堅，亦猶此意。歐陽修《六一詩話》曰：「唐之晚年詩人，無復李杜豪放之格，然亦務以精意相高，如周朴者構思尤艱，故時稱朴詩月鍛季鍊，未及成篇，已播人口。」至此，所謂鍛鍊已非鍛字鍊句而已，而是「鍊意」，《薑齋詩話》曰：「無論詩歌與長行文字，俱以意為主，意猶帥也，無帥之兵，謂之烏合。李杜所以稱大家者，無意之詩，十不得一二也。烟雲泉石，花鳥苔林，金鋪錦帳，寓意則靈。」鍛字鍊句，其終極目的即應是鍊意。

《一瓢詩話》曰：「人知作詩避俗句，去俗字，不知去俗意，尤為要緊。」由此以視「洗鍊」品眞義，實應爲洗除俗氣，鍊冶神素，換言之，所鍊之意要能體素儲潔，而如空潭瀉春，古鏡照神，復似水月潔瑩，幽人磊落也。

八、勁健

行神如空，行氣如虹。巫峽千尋，走雲連風。
飮眞茹強，蓄素守中。喻彼行健，是謂存雄。
天地與立，神化攸同。期之以實，御之以終。

《滄浪詩話》言詩之法有五：曰體製，曰格力，曰氣象，曰興趣，曰音節。陶明濬《詩說雜記》卷七以爲：「此蓋以詩章與人身體相爲比擬，一有所闕，則倚魁不全。體製如人之體幹，必須俊壯；格力如人之筋骨，必須勁健；氣象如人之儀容，必須莊重；興趣如人之精神，必須活潑；音節如人之言語，必須清朗。五者既備，然後可以爲人，亦惟備五者之長，而後可以爲詩。近取諸身，遠取諸物，而詩道成焉。」《珊瑚鉤詩話》：「以氣韻清高深眇者絕，以格力雅健雄豪者勝。」

詩之格力須勁健，已如上說，然格力僅爲詩之一部份，如人之筋骨，亦如上說。而表聖詩品，係就全詩風格而言，欲達此境，實非易事。《許彥周詩話》云：「詩有力量，猶如弓之斗力，其未挽時，不知其難也，及其挽之，力不及處，分寸不可強。若出塞曲：落日照大旗，馬鳴風蕭蕭，悲笳數聲動，壯士慘不驕。又八哀詩：汝陽讓帝子，眉宇眞天人，虬鬚似太宗，色映塞外春。此等力量，不容他人到。」遒勁，剛健之風格不易到，表聖以爲必須「飲眞茹強，蓄素守中」，如此方可「期之以實，御之以終」，能實，則見其強勁有力；能終，乃知其行健不息，兩者不可偏廢，始達「勁健」之境。故知勁健者，非僅恃文字表層雄大偉壯之義，可竟其功，而需內蘊眞氣，外鑠強力，蓄養太素，執守中道也。

所以，《冷齋夜話》云：「西漢文章，雄深雅健者，其氣長故也。」詩亦當如是。

九、綺麗

神存富貴，始輕黃金。濃盡必枯，淡者屢深。
霧餘水畔，紅杏在林。月明華屋，畫橋碧陰。
金樽酒滿，伴客彈琴。取之自足，良殫美襟。

《師友詩傳錄》：

《尚書》云：「詩言志，歌永言，聲依永，律和聲。」此千古言詩之妙諦眞詮也。故知志非言不形，言非詩不彰，祖諸此矣。何謂志？「石韞玉而山以輝，水懷珠而川以媚」是也。何謂言？「其爲物也多姿，其爲體也屢遷，其含意也尙巧，其遺詞也貴妍」是也。何謂詩？「旣緣情而綺靡，亦體物而瀏亮，播芳蕤之馥馥，發青條之森森」是也。昌黎云：「詩正而葩」，豈不然歟？

詩，綺靡瀏亮，詩之言語尚巧貴姸，類此說法，歷代各家均有所言，如：

魏文帝〈典論論文〉：「詩賦欲麗。」

李白〈大獵賦序〉：「賦者古詩之流，詞欲壯麗，義歸博達。」

《顏氏家訓》：「文章當以理致爲心腎，氣調爲筋骨，事義爲皮膚，華麗爲冠冕。」

皇甫謐〈三都賦序〉：「引而申之，故文必極美，觸類而長之，故辭必盡麗。」

《文心雕龍》：「文辭麗雅爲辭賦之宗。」又曰：「情以物興，故義必明雅，物以情觀，故辭必巧麗。」

以上即爲各家之主張：詩文之辭，必盡巧麗。然「不可以綺麗害正氣」，《詩人玉屑》卷之十引碧溪之言曰：

「世俗喜綺麗，知文者能輕之，後生好風花，老大即厭之。然文章論當理與不當理耳，苟當於理，則綺麗風花，同入於妙；苟不當理，則一切皆爲長語。上自齊梁諸公，下自劉夢得，溫飛卿輩，往往以綺麗風花，累其正氣，其過在於理不勝而詞有餘也。」

此則表聖之所以於「綺麗」品之初，即言：「神存富貴，始輕黃金。濃盡必枯，淡者屢深。」之故。

十、自然

俯拾即是，不取諸鄰。俱道適往，著手成春。

如逢花開，如瞻歲新。眞與不奪，強得易貧。
幽人空山，過雨採蘋。薄言情悟，悠悠天鈞。

黃山谷云：「詩文不可鑿空彊作，待境而生，便自工耳。」

蕭子顯云：「登高極目，臨水送歸，早雁初鶯，花開花落，有來斯應，每不能已，須其自來，不以力構。」王士源序孟浩然詩云：「每有製作，佇興而就。余生平服膺此言，故未曾爲人強作，亦不耐爲和韻詩也。」（《漁洋詩話》）

詩之貴自然，當無故違此說者，滄浪言「須是本色，須是當行。」陶明濬《詩說雜記》卷七曰：「本色者，所以保全天趣者也。故夷光之姿必不肯汚以脂粉；藍田之玉，又何須飾以丹漆，此本色之所以可貴也。」

然而，若無夷光之姿，又非藍田之玉，如何達及自然之境？此時勢必予以雕琢。「詩人玉屑》卷之五：「作詩貴雕琢，又畏有斧鑿痕；貴破的，又畏粘皮骨，此所以爲難。」雖難，古詩人多能自苦思焦慮中，保持天趣。《石林詩話》云：「詩語固忌用巧太過，然緣情物體，自有天然工妙，雖巧而不見刻削之痕。」

又《臯蘭課業詩品解》釋此品時曰：

「凡詩文無論平奇濃淡，總以自然爲貴。如太白逸才曠世，不假思議，固矣；少陵雖經營慘淡，亦如無縫天衣。又如元白之平易，固矣；即東野長江之苦思刻骨，玉川長吉之鑿險縋幽，義山飛卿之鋪錦列繡，究亦自出機杼。若純於矯強，毫無天趣，豈足名世！」

《而庵詩話》：「詩貴自然，雲因行而生變，水因動而生文，有不期然而然之妙，唐人能有之。」

由此而知，所謂自然，非謂不經雕琢之原始自然，乃是著重於詩之精神，文字，可與自然相契合，不相違背者。所以，「俯拾即是，不取諸鄰」爲自然，「俱道適往，著手成春」亦爲自然。皎然《詩式》言「詩有七至」：「至險而不僻，至奇而不差，至苦而無迹，至近而意遠，至放而不迂，至難而狀易，至麗而自然。」其中言「至麗而自然」，實可視爲「詩貴雕琢，又畏有斧鑿痕」之意，「詩須鑱入，尤貴自然。但講鑱入，而不求自然，恐雕琢易於傷氣；但講自然，而不求鑱入，恐流入於空腔熟調，且便於枵腹者流。宜先從事於鑱入，然後求其自然，則得矣。」（《說詩管蒯》）若此，一方面追求詩之鮮麗，一方面又冀其自然，兩者相尅相生而相長，則如天道自然，悠悠久遠。

十一、含蓄

不著一字，盡得風流。語不涉己，若不堪憂。
是有眞宰，與之沈浮。如淥滿酒，花時返秋。
悠悠空塵，忽忽海漚。淺深聚散，萬取一收。

「詩貴含蓄」，中國民族性溫柔敦厚，表現於詩自亦忌其鋒芒畢露，要以語意含蓄爲法則。《野鴻詩的》云：「詩三百篇，曷貴乎？貴其悲歌歡愉怨苦思慕，悉有婉折抑揚之致，蘊蓄深而丰神遠，讀之能令人暢支體，悅心志耳。」詩三百篇風人之旨既顯，自茲以降，紀事詠物，言志敍情，未有不以含蓄爲尙。《清詩別裁集》：「唐詩蘊蓄，宋詩發露，蘊蓄則韻流言表，發露則意盡言中。」

《詩鏡總論》：「善言情者，吞吐深淺，欲露還藏，便覺此衷無限。」

《壯悔堂文集》：「夫詩之爲道，格調欲雄放，意思欲含蓄，神韻欲閒遠，骨采欲蒼堅，波瀾欲頓挫，境界欲如深山大澤，章法欲清空一氣。」

《白石道人說詩》：「語貴含蓄，東坡云：『言有盡而意無窮者，天下之至言也。』山谷尤謹於此。清廟之瑟，一唱三歎，遠矣哉！後之學者，可不務乎！若句中無餘字，篇中無長語，非善之善者也。句中有餘味，篇中有餘意，善之善者也。」

《詩人玉屑》卷之十：「詩文要含蓄不露，便是好處。古人說雄深雅健，此便是含蓄不露也。用意十分，下語三分，可幾風雅。下語六分，可追李杜。下語十分，晚唐之作也。用意要精深，下語要平易，此詩人所難。」

《原詩》：「詩之至處，妙在含蓄無垠，思致微渺，其寄託在可言不可言之間，其指歸在可解不可解之會，言在此而意在彼，泯端倪而離形象，絕議論而窮思維，引人于冥漠恍惚之境，所以爲至也。」

《珊瑚鉤詩話》：「篇章以含蓄天成爲上，破碎琱鎪爲下。如楊大年西崑體，非不佳也，而弄斤操斧太甚，所謂『七日而渾沌死』也。」

若此數說，均以含蓄爲工，含蓄之狀如何？表聖云：「如淥滿酒，花時返秋」，則欲滴未滴，將開未開之貌是也。據此而知，含蓄之境亦需有充盈之實質，蘊積於內，復有閒適之神態，微放於外，始爲眞含蓄。《詩品淺解》曰：「含，銜也；蓄，積也。含虛而蓄實。」所謂「言有盡而意無窮」，則此無窮之意必先蓄積而大，孟子曰：「充實之謂美。」亦惟有此充實之美，含蓄以出之，始得詩意，此則表聖所說：「是有眞宰，與之沈浮」也。無此眞宰，如何含蓄？

詩之貴固在含蓄，然而，詩之必以含蓄出之，當亦有說，《說詩晬語》云：「事難顯陳，理難言罄，每託物連類以形之；鬱情欲舒，天機隨觸，每借物引懷以抒之。比興互陳，反覆唱歎，而中藏之歡愉慘戚，隱躍欲傳，其言淺，其情深也。倘質直敷陳，絕無蘊蓄，以無情之語，而欲動人之情，難矣。」

而「含蓄」之最高極至如何？表聖云：「不著一字，盡得風流」是也。漁洋所最喜者也。

十二、豪放

觀花匪禁，吞吐大荒。由道返氣，處得以狂。
天風浪浪，海山蒼蒼。眞力彌滿，萬象在旁。
前招三辰，後引鳳凰。曉策六鼇，濯足扶桑。

豪放者何？

《詩品淺解》云：「豪邁放縱。豪以內言，放以外言。豪則我有可蓋乎世，放則物無可羈乎我。」

此種豪放之氣，豪放之詩，李白最能得之。

《詩人玉屑》卷之十四，引〈沈光李白酒樓記〉曰：「太白以峭訐矯時之狀，不得大用，流斥齊魯。眼明耳聰，恐貽顛踣。故狎弄杯觴，沈溺麴蘖，耳一淫樂，目混黑白。或酒醒神健，視聽銳發，振筆著紙，乃以聰明移於月露風雲，使之涓潔飛動；移於草木禽魚，使之妍茂褰擲；移於閨情邊思，使之壯氣激人，離情溢目；移於幽巖邃谷，使之遼歷物外，爽人精魄；移於車馬弓矢，悲憤酣歌，使之馳騁決發，如睨幽並，而失意放懷，盡見窮通焉。」此乃豪邁英壯之氣，發於中而見於外，始有「驚動千古，氣蓋一世」之詩：

「六一居士云：『落日欲沒峴山西，倒著接籬花不迷，襄陽小兒齊拍手，大家齊唱白銅鞮。』此常言也。至於『明月清風不用一錢買，玉山自倒非人推。』然後見太白之橫放，所以驚動千古者，固不在此乎！」

「如『曉月出天山，蒼茫雲海間，長風一萬里，吹度玉門關。』及『沙墩至梁苑，二十五長亭，大舶夾雙櫓，中流鵝鸛鳴。』之類，皆氣蓋一世。學者能熟味之，自然不淺矣。」（《詩人玉屑》引「童蒙訓」）

李白性情若是，詩亦若是，宋時東坡亦有所似，《老學菴筆記》載：「世言東坡不能歌，故所作樂府詩多不協，鼂以道云：紹聖初，與東坡別於汴上，東坡酒酣，自歌古陽關，則公非不能歌，但豪放不喜剪裁以就聲律耳。」詩人豪氣干雲，放曠不拘，大抵如此。《宋史·蘇舜欽傳》：「舜欽在蘇州買水石作滄浪亭，蓋讀書時發憤灑於歌詩，其體豪放，往往驚人。」豪放之詩，豪放之氣，自有一股懾人心神之氣勢，令人心亦爲之往，氣亦爲之壯，不可自已。

然《藝苑雌黃》卻以爲：「吟詩喜作豪句，須不畔於理方善。」並引證詩例曰：「如東坡觀崔白冬景圖曰：『扶桑大繭如甕盎，天女織絹雲漢上，往來不遣鳳銜梭，誰能鼓臂投三丈。』此語豪而甚工。石敏若〈橘林〉文中，詠雪有『燕南雪花大於掌，冰柱懸簷一千丈。』之語，豪則豪矣，然安得爾高屋耶！余觀李太白北風行云：『燕山雪花大如席』，秋浦歌云：『白髮三千丈』，其句可謂豪矣，奈無此理何！如秦少游秋日絕句云：『連卷雌蜺挂西樓，逐雨追晴意未休，安得萬粧相向舞，酒酣聊把作纏頭。』此語亦豪而工矣！」其理甚得，然豪句未必爲豪放之詩，且句豪不如意豪，意豪不如氣豪，豪放之詩人不可拘而爲此所限，否則，如之何「曉策六鼇，濯足扶桑」？

十三、精神

欲返不盡，相期與來。明漪絕底，奇花初胎。
青春鸚鵡，楊柳樓臺。碧山人來，清酒深杯。
生氣遠出，不著死灰。妙造自然，伊誰與裁。

《詩品臆說》云：「人無精神，便如槁木，文無精神，便如死灰。」言簡意明，精神之重要可知。然則，精神何謂？《淮南子》〈精神篇〉注曰：「精者神之氣，神者人之守。」《詩品淺解》曰：「精含於內，神見於外。」又云：「精由於聚，人欲返而求之，則有不盡之藏；神得所養，而心之相期者遂與之以俱來。」精，能含聚於內，爲不盡蘊藏；神，則展現於外，是永遠生機。所以，人有精神，如生龍活虎，動靜隨心，文有精神，則「生氣遠出，不著死灰。」

蘇子由云：「東坡謫居儋耳，獨善爲詩，精深華妙，不見老人衰憊之態。」魯直亦云：「東坡嶺外文字，讀之使人耳目聰明，如清風自外來也。」（〈蘇長公外記〉）

紀批《瀛奎律髓》：「東坡七律，往往一筆寫出，不甚繩削，其高處在氣機生動，才力富健，其不及古人者，在少鎔鍊之工，與渾厚之致。」東坡詩不見老人衰憊之態，即因其氣機生動，精神蓬勃。《詩鏡總論》於此尤有發揮：「精神聚，而色澤生，此非雕琢之所能爲也。精神道寶，閃閃著地，文之至也。」聚精養神，以使「精神」呈露生機，則詩如絕底明漪，初胎奇花矣！此色澤不可不謂鮮美，實由精酣神足，久聚常養所致，故《詩鏡總論》云非雕琢之所爲。既云聚云養，則積年累月，蘊蓄於平日，厥功尤不可沒也。「精神」品之眞義當從此處會悟。

十四、縝密

是有眞迹，如不可知。意象欲出，造化已奇。
水流花間，清露未晞。要路愈遠，幽行爲遲。
語不欲犯，思不欲癡。猶春於綠，明月雪時。

〈禮聘義〉：「君子比德于玉焉，縝密以栗，知也。」疏云：「縝，緻也，言玉體密緻。」則縝有細緻之義，密作周密解，細緻周密，實不可分，能細則可密，密實由細來，故如水流花間，清露未晞，其爲縝爲密，已無可分，純任一片天機舒展，是「縝密」之象也。

《詩人玉屑》言「詩有十貴」：「一貴乎典重，二貴乎抝擲，三貴乎出塵，四貴乎瀏亮，五貴乎縝密，六貴乎雅淵，七貴乎溫蔚，八貴乎宏麗，九貴乎純粹，十貴乎瑩淨。」縝密在其中。《文心雕龍》言「孟堅雅懿，故裁密而思靡，平子淹通，故慮周而藻密」，亦以周密爲尚。

鍾嶸《詩品》鑑於當時習尚頗重綺靡，不主細密，評謝朓時，言其「微傷細密」。表聖《詩品》亦以「語不欲犯，思不欲癡」爲「縝密」之戒，世俗之人多以語詞複沓爲縝密，又以思慮濃滯爲縝密，未得表聖之心，蓋語詞安排有序，語意必不相犯，思慮周到，詩思自亦精細，不能如此，則表聖亦將以「細密」爲傷。

此乃消極之言，積極之「縝密」境界，須如春光綠意，相映爲趣，月色雪景，融洽一體，情與景交融，縝與密調協，渾溶一片，始成眞正「縝密」之境。

十五、疎野

惟性所宅，眞取弗羈。控物自富，與率爲期。

築室松下，脫帽看詩。但知旦暮，不辨何時。

倘然適意，豈必有爲。若其天放，如是得之。

《詩品淺解》言「脫略謂之疎，眞率謂之野。」如與上品相較，則「疎」與「密」相對，「野」與「縝」相對，「縝密」稍偏重於文字，「疎野」則側重於個性。

楊振綱《詩品續解》按：「疎非疎略之疎，乃疎落之疎。野非野俗之野，乃曠野之野。」實則不可如此細分，疎既有疎略之意，亦可作疎落解，野有未開化之意，亦可解作荒野遼濶，唯其如此，始能恢拓「疎野」之境。

《石遺室詩話》云：「詩喜疏野，然能精微則又精善矣。穿花蛺蝶一聯，可謂精微。」其意應爲，詩境不妨疎野，而用語不妨精微，亦是相剋相生，相反相長者也。

《詩人玉屑》曰：「人之爲詩，要有野意。蓋詩非文不腴，非質不枯，能始腴而終枯，無中邊之殊，意味自長。風人以來，得野意者，惟淵明耳。爲太白之豪放，樂天之淺陋，至於郊寒島瘦，去之益遠。」（引《休齋詩話》）

「野者，詩之美也。」（《詩概》）

《呂氏童蒙訓》:「初學作詩，寧失之野，不可失之靡麗；失之野，不害氣質，失之靡麗，不可復整頓。」

《后山詩話》亦有類似見解：「寧拙勿巧，寧朴無華，寧粗無弱，寧僻無俗，詩文皆然。」

以上諸說，均側重詩要有野意，如《詩品淺解》所言「疎以內言，野以外言。」則「野意」乃形諸文字，可察而得知者。野既鑠於外，則內心之疎放亦可想見，唯有疎放之心，始有狂野之舉。疎略、疎落，皆見其懶散，狂野、荒野，則見其奮進，是以，表聖云：「倘然適意，豈必有爲」，見其疎意；「若其天放，如是得之」，見其野意。故，野由疎來，疎野一品不至於脫略無文，亦不至於狂野不羈，在於「疎」「野」之相互剋制，相互相長也。

十六、清奇

娟娟群松，下有漪流。晴雪滿汀，隔溪漁舟。
可人如玉，步屧尋幽。載瞻載止，空碧悠悠。
神出古異，澹不可收。如月之曙，如氣之秋。

清奇者，清幽絕俗也。

《石遺室詩話》稱：「輞川諸五絕，清幽絕俗，其間空山不見人，獨坐幽篁裏，木末芙蓉花，人閑桂花落，四首尤妙，學者可以細參。」

曾文正公言「欲學杜韓，須先知義法粗胚。」因列其統例如左：

創意　去浮淺俗陋。

造言　忘平顯習熟。

選字　與造言同，同去陳熟。

意法　有奇有正，無一定之形。

起法　有破空橫空而來，有快刃劈下，有巨筆重壓，有勇猛湧現，有往復跌宕，有崢嶸飛動。

轉移　多用橫、逆、離三法，斷無順接正接。

杜詩韓文之奇特，文法上可以分析者如上所言，去俗陋，去陳言，此皆達至詩奇文奇必經之道，鬼谷子亦云：「聽貴聰，事貴明，辭貴奇。」唯奇始可引人入勝，然，奇不可至於怪誕，所謂不畔於理是也，《王直方詩話》有學詩八句法，其前二法爲：「平澹不流於淺俗，奇古不鄰於怪僻。」釋皎然《詩式》「詩有六迷」中，「以詭差爲新奇」是亦其中一迷。奇境引人尋幽探勝，怪僻則令人退避畏懼，欲分清此二事，則俗語所言：「出人意外，入人意中」者是爲奇境，出人意外而無法入人意中者，怪誕之事也。詩可奇，不可怪。

然，詩奇而不幽，亦非表聖「清奇」品之境界，杜甫憶李白詩：「清新庾開府，俊逸鮑參軍。」清新、清幽之境，尤重於奇境之獲得，是以，詩既已奇矣，如何「出奇入幽」而至「清奇」之境，可以「如月之曙，如氣之秋」，是亦詩人努力之目標。楊振綱《詩品續解》言：「此境如晉之鮑陸陶謝，尚矣。在唐人中亦惟韋柳爲擅場。」

十七、委曲

登彼太行，翠遶羊腸。杳靄流玉，悠悠花香。

力之於時，聲之於羌。似往已迴，如幽匪藏。

水理漩洑，鵬風翺翔。道不自器，與之圓方。

委曲即委婉曲折。詩境需能耐人尋味，百折而千回，繚曲而幽邃，不以直致爲勝，不以淺顯爲高，如山水風光，必峯廻路轉始見柳暗花明者爲佳。所以，表聖「委曲」品即以自然景色爲喻，羊腸小徑，纖細曲折，彎彎流水，杳靄掩映，詩境委曲，有以似之。

鍾嶸《詩品》評晉平原相陸機曰：「其源出於陳思，才高詞贍，舉體華美，氣少於公幹，文劣於仲宣，尙規矩，不貴綺錯，有傷直致之奇。」陸機不貴綺錯，平鋪直敍，非錯落有致，曲盡其妙者可比，鍾嶸傷之。

《白石詩說》亦云：「雕刻傷氣，敷演露骨。若鄙而不精巧，是不雕刻之過；拙而無委曲，是不敷演之過。」笨拙呆滯，未能纖細曲折，此詩未加敷演也，敷演文字，敷演情思，則可使詩境委曲也。故知，委曲之詩實指文字曲折而詩意委婉，如僅文字曲折，迂迴不止，如入迷陣，千廻百轉猶不得其意，如之何而可以謂其詩境委曲？《許彥周詩話》曾評司空圖詩「意甚委曲」，此委曲之意始是眞委曲者，其言曰：「司空圖唐末竟能全節自守，其詩有『綠樹連村暗，黃花入麥稀。』誠可貴重。又云：『四座賓朋兵亂後，一川風月笛聲中。』句法雖可及，而意甚委曲。」委曲而可見其意，其意轉折而得，詩之耐人尋味者在此。

再進一步研究，表聖言「委曲」時，先言曲徑流水，此直進式之委曲也，且羊腸而遶以翠綠，流玉而伴以花香，則其委婉曲折復有不盡之美環繞其旁矣！詩境之委曲，亦當如此。次言往廻式之委曲，其勢似往，細察之，則已廻還矣，似往而迴，似迴而往，委曲之妙，自在其中，「力之於時，聲之於羌」，以輕重緩急爲委曲，亦往迴式之委曲也。再次言旋渦式之委曲，則表聖所謂「水理漩洑，鵬風翱翔」者是也，水理漩洑，言水中波紋左右回旋，上下起伏；鵬風翱翔，言鵬鳥展翼捲起旋風，急轉而升，此二類委曲之形式，均爲旋渦式，旋進而往迴，往迴且旋進，其爲委曲之態繁複而多變。計以上三類委曲型態，詩人可自由運用之，依自然態勢而爲圓爲方，所謂「道不自器」是也。

十八、實境

取語甚直，計思匪深。忽逢幽人，如見道心。
清澗之曲，碧松之陰。一客荷樵，一客聽琴。
情性所至，妙不自尋。遇之自天，泠然希音。

實境係指眞實之境，此眞實之境，由詩人描繪而來，描繪此種詩境，「取語甚直，計思匪深」，惟其用語直接，惟其用思淺近，更覺此境之眞實。而此眞實之境，可以爲物境，可以爲情境，可以爲思境，亦可以爲意境，不論其境爲何，均須予讀者眞實之感，如是謂之實境。

就「實境」品以析言之，「清澗之曲，碧松之陰。一客荷樵，一客聽琴。」此物境也，此境可以實（作者實見其事），可以虛（作者想見其事），而不妨其爲實境（讀者感知此境眞實）。「情性所至，妙不自尋」則爲情境，情性爲人稟受於天道之自然呈現，情性所至，境由此造，所謂境由心生是也，此情境之眞實源於天性之通同，源於感情之充盈，觸機而生，不用自尋，不假外求者也。「遇之自天，泠然希音」，是思境也，觸景生情而得實境，則思此情此境之所由來，遇之彷彿自天而降，泠然而善者，希微之音也，此爲思境，探索而得。意境者，介乎情境與思境之間，意之所出是情亦是思，非情亦非思，「忽逢幽人，如見道心」即是此意境，「忽逢幽人」，始料未及，「如見道心」，似眞如幻，意境最爲飄忽，欲爲實境，無所拘泥，不可執著，冥心而求可也。

十九、悲慨

大風捲水，林木爲摧。適苦欲死，招憩不來。
百歲如流，富貴冷灰。大道日喪，若爲雄才。
壯士拂劍，浩然彌哀。蕭蕭落葉，漏雨蒼苔。

悲慨，《詩品淺解》釋曰：「悲痛慨歎。」

「大風捲水，林木爲摧」，此爲可以引起悲慨之境，「蕭蕭落葉，漏雨蒼苔」，亦爲可以引起悲慨之境，其境一大一小，其時一暫一久，悲慨之深淺不以是爲分。司空表聖以此二境繫之首尾，含括足以引起悲慨之三事也。

「適苦欲死，招憩不來。百歲如流，富貴冷灰。」可視爲個人之悲愁。爲苦所困，安慰不至，乃實際之悲痛；歲月流逝，富貴成灰，是足令人扼腕。「大道日喪，若爲雄才。壯士拂劍，浩然彌哀。」此則家國之哀痛也，國事多難，壯志未酬，其足慨歎者大矣哉！然，事雖有小大，其爲悲慨則一。《昭昧詹言》盛讚杜甫：「飛揚硉兀之氣，峥嶸飛動之勢，一氣噴薄，眞味盎然，沈鬱頓挫，蒼涼悲壯，隨意下筆，而皆具元氣，讀之而無不感動心脾者，杜公也。」《甌北詩話》言梅村詩「感愴時事，俯仰身世，纏綿悽惋，情餘於文。」《詩概》云：「劉公幹、左太冲詩壯而不悲，王仲宣、潘安仁悲而不壯，兼悲壯者，其惟劉越石乎？」

若此以「悲慨」入詩而爲後人評論者，所在皆是，亦可以見出境無論大小，事也無分大小，皆可以成就爲好詩，而足於引發讀者之悲慨。

滄浪分詩之品爲九，其最後二品爲悲壯，悽婉。陶明濬《詩說雜記》曰：

何謂悲壯？笳拍鐃歌，酣暢猛起者是也。

何謂悽婉？絲哀竹濫，如怨如慕者是也。

細究此二品，實亦表聖「悲慨」品之意，「悲壯」與「悽婉」之所以不同，不在所悲之對象，而在用於表達悲愁之工具，「悲壯」則笳、鐃，「悽婉」則絲、竹，樂器不同，聲音不同，滄浪以爲其品亦不同矣！

二十、形容

絕佇靈素，少廻清眞。如覓水影，如寫陽春。
風雲變態，花草精神。海之波瀾，山之嶙峋。
俱似大道，妙契同塵。離形得似，庶幾斯人。

形容者，摹神寫意也。

「絕佇靈素，少廻清眞。」是「形容」前應有之準備。神之精明者爲靈，物之樸質者曰素，此二物可代表詩人之內在修養，需專心一志予以栽培。清則空明，眞乃無妄，靈素已佇，則可迴遊於清眞之境，此時，準備工作已告完成。

摹神寫意，當非易事，表聖以爲其難「如覓水影，如寫陽春」，蓋水影恍惚，陽春神奇，難以覓尋。能寫水影之淸，陽春之眞，始爲得形容之要者。又如《詩品淺解》曰：「風雲之變態蒼茫，花草之精神煥發，海之波瀾無定，山之嶙峋不齊，此其千狀萬態之難以擬議者，非善於形容烏能形容之盡致。」梅聖俞嘗語：「詩家雖率意造語，亦難；若意新語工，得前人所未道者，斯爲善也。必能狀難寫之景，如在目前，含不盡之意，見於言外，然後爲至。」（《金陵語錄》），如何狀此難寫之景如在目前？此待契合大道，同塵之旨，可以離棄外形而得其神似之人，庶幾得之。

是以，「形容」之極致爲「離形得似」，外在形體多變，特殊，臃腫，不可永久，故須描摹其神，寫畫其意，得其形容之眞。

二十一、超詣

匪神之靈，匪機之微。如將白雲，清風與歸。
遠引若至，臨之已非。少有道氣，終與俗違。
亂山喬木，碧苔芳暉。誦之思之，其聲愈希。

超詣，《詩品臆說》曰：「謂其造詣能超越尋常也。」所謂超凡而詣及是也。

查初白論詩云：「詩之厚在意不在詞，詩之雄在氣不在貌，詩之靈在空不在巧，詩之淡在脫不在易。」華松石續之曰：「詩之趣在眞不在奇，詩之妙在超不在僻，詩之俊在神不在采，詩之工在鍊不在琢。」（《蓑楚齋隨筆》）

《皮子文藪》：「言出天地外，思出鬼神表，讀之則神馳八極，測之則心懷四溟，磊磊落落，眞非世間語者，則有李太白。」

詩之妙在超詣，超詣則「言出天地外，思出鬼神表。」若李白之詩是也，或者：「言在耳目之內，情寄八荒之表。」若阮籍之詩是也。心神之靈敏，天機之微妙，猶不足於狀其神，盡其妙，其所以如此，則因「少有道氣，終與俗違」也。《後湖集》評王維詩「中歲頗好道，晚家南山陲，興來每獨往，勝事空自知。行到水窮處，坐看雲起時，偶然值林叟，談笑無回期。」言：「此詩造意之妙，至與造物相表裏，豈直詩中有畫哉，觀其詩，知其蟬蛻塵埃之中，浮遊萬物之表者也。」超詣之詩，超脫乎世俗之外，所謂「遠引若至，臨之已非。」所謂「誦之思之，其聲愈希。」可望而不可即也。尤有極者，滄浪云：「所謂不涉理路，不落言筌者，上也。」又云：「詩者，吟詠情性也。盛唐詩人，惟在興趣；羚羊掛角，無跡可求，故其妙處，透徹玲瓏，不可湊泊，如空中之音，相中之色，水中之月，鏡中之象，言有盡而意無窮。」至此則已無迹可求，超詣之絕棄凡俗，可謂至極矣！但在未至超詣之前，詩者，吟詠情性也，必由人性之根本敍起，不可憑空而至。

二十二、飄逸

落落欲往，矯矯不群。緱山之鶴，華頂之雲。
高人惠中，令色絪縕。御風蓬葉，汎彼無垠。
如不可執，如將有聞。識者期之，欲得愈分。

飄逸，《詩品淺解》云：「飄灑閒逸。」
「落落欲往，矯矯不群」是飄灑之姿，落落然與俗難合，欲有所往；矯矯然高舉逸志，不與衆群。誠爲獨具高懷，翩翩特立者也。

飄逸之顯現於外，則如高出世俗之人，順其心之自然，容顏和善，元氣飄然，又如飛蓬御風而行，飄蕩於無垠之天地，其瀟灑高逸，如有所聞，而無可執持，可以期待而不可迹求，誠如楊廷芝《詩品淺解》所云：「欲得其法於飄逸之中，愈分其心於飄逸之外。」飄逸之不可期者如是，故世俗均以孤雲野鶴喻之，表聖言「緱山之鶴，華頂之雲」亦是此意，而更見其超凡不俗之態。陶明濬《詩說雜記》釋滄浪「詩之品有九」時，亦云：「何謂飄逸？秋天閒靜，孤雲一鶴者是也。」

皎然《詩式》言「詩有四離」：「雖期道情，而離深僻；雖用經史，而離書生；雖尚高逸，而離迂遠；雖欲飛動，而離輕浮。」蓋飄逸既如雲鶴，恐其颺而不還，故須「離迂遠」也。

《姜白石詩說》亦有相似見解：「大凡詩自有氣象，體面，血脈，韻度。氣象欲其渾厚，其失也俗；體面欲其宏大，其失也狂；血脈欲其貫串，其失也露；韻度欲其飄逸，其失也輕。」飄逸之失為「輕」，為「迂遠」，如何救此失？《詩法家數》云：「凡作詩，氣象欲其渾厚，體面欲其宏闊，血脈欲其貫串，風度欲其飄逸，音韻欲其鏗鏘。若雕刻傷氣，敷演露骨，此涵養之未至也，當益以學。」學則踏實，不至逸飛無度，而無「輕」「遠」之失矣。

《詩人玉屑》卷之十五引《雪浪齋日記》，云「有所思」飄逸可喜，茲錄其文與詩如次，聊資參看：

玉川子詩，讀者易解，識者當自知之。蕭才子宅問答詩如莊子寓言，高僧對禪機，惟「有所思」一篇，語似不類，疑他人所作，然飄逸可喜。其詞曰：

當時我醉美人家，美人顏色嬌如花。

今日美人棄我去，青樓朱箔天之涯。

娟娟姮娥月，三五二八圓又缺。
翠眉蟬鬢生別離，一望不見心斷絕。
心斷絕，幾千里。
夢中醉臥巫山雲，覺來淚滴湘江水。
湘江兩岸花木深，美人不見愁人心。
含愁更奏綠綺琴，調高絃絕無知音。
美人兮美人，不知為暮雲兮為朝雲？
相思一夜梅花發，忽到窗前疑是君。

二十三、曠達

生者百歲，相去幾何。歡樂苦短，憂愁實多。
何如尊酒，日往烟蘿。花覆茆簷，疎雨相過。
倒酒既盡，杖藜行歌。孰不有古，南山峩峩。

《詩品臆說》曰：「曠，昭曠；達，達觀。胸中具有道理，眼底自無障礙。」
《皋蘭課業詩品解》曰：「惟曠則能容，若天地之寬；達則能悟，識古今之變，所以通人情，察物理，驗政治，觀風俗，覽山川，弔興亡，其視得失榮枯，毫無繫累，悲憂愉樂，一寓於詩，而詩之用不可勝窮矣。故此二字所以掃塵俗，袪魔障，乃作詩基地，不可忽也。」

需有曠達之胸懷，始有曠達之詩境，《說詩晬語》云：「蘇子瞻胸有洪爐，金銀鉛錫，皆歸鎔鑄，其筆之超曠，等於天馬脫羈，飛仙遊戲，窮極變幻，而適如意中所欲出。」《甌北詩話》亦云：「青蓮詩之不可及處，在乎神識超邁，飄然而來，忽然而去，不屑屑於雕章琢句，亦不勞勞於鏤心刻骨，自有天馬行空，不可羈勒之勢。」東坡胸有洪鑪，太白神識超邁，能容能通，故如天馬行空。然而，如何始能心胸曠達，一無窒礙？表聖云：「生者百歲，相去幾何？歡樂苦短，憂愁實多。」如此人生，豈可不曠達？若能領悟「孰不有古，南山峩峩」，則知人生必有終了之時，惟南山長青，巍峩永存，則此心胸，豈能不曠達？

曠達之境如何？

《詩品》云：「何如尊酒，日往烟蘿。花覆茆簷，疎雨相過。倒酒既盡，杖藜行歌。」則飲酒於烟蘿雅淨之處，觀花賞雨，亦自適其志，美酒既盡，杖藜而歌，了無累絆，此非曠達而何！晉書張翰傳：「翰任心自適，不求當世，或謂之曰：『卿乃可縱適一時，獨不爲身後名邪？』答曰：『使我有身後名，不如即時一盃酒。』時人貴其曠達。」

《苕溪漁隱叢話》云：「『桃紅復含宿雨，柳綠更帶春煙，花落家童未掃，鶯啼山客猶眠。』每哦此句，令人坐想輞川春日之勝，此老傲睨閑適於其間也。」此即曠達之詩，閑適之境也。

二十四、流動

若納水輨，如轉丸珠。夫豈可道，假體如愚。

荒荒坤軸，悠悠天樞。載要其端，載聞其符。

超超神明，返返冥無。來往千載，是之謂乎？

楊振綱曰：「其在易曰：變動不拘，周流六虛。天地之化，逝者如斯，蓋必具此境界，乃爲神乎其技，而詩之能事畢矣，故終之以流動。」則流動乃周流六虛，變動不拘也。詩境能流轉，能變動，則可有常新之義，亦足於見其生機活潑，生意盎然。

流動之象若何？若納水輨，如轉丸珠，表聖以爲不足於狀流動之妙，必也荒荒如地軸之轉，悠悠如天樞之運，識知樞軸即流動之端，流動即樞軸之符，則超乎神明周流無滯之用，而返於冥無寂靜冲漠之體，與天地並壽，跟日月齊長，是爲流動之象也。

《說詩晬語》云：「詩貴性情，亦須論法，雜亂而無章，非詩也。然所謂法者，行所不得不行，止所不得不止，而起伏照應，承接轉換，自神明變化於其中。若泥定此處應如何，彼處應如何，不以意運法，轉以意從法，則死法矣。試看天地間水流雲在，月到風來，何處著得死法？」《詩境總論》曰：「凡法妙在轉，轉入轉深，轉去轉顯，轉搏轉峻，轉敷轉平，知之者謂之至正，不知者謂之至奇，誤用者則爲怪而已矣。」此言詩法亦妙在轉動，且需善加活用，則詩可與天地自然之象深相契合。

下編：司空圖詩品研究

眞金圖表的研究

下篇

第一章　司空圖略傳

司空圖，字表聖，又曾於雜文中自號「耐辱居士」，「知非子」，河中虞鄉（今山西省虞鄉縣）人，本臨淄人也。曾祖遂，曾爲密令，祖象，官至水部郎中，父輿，精吏術，有風幹。大中初，戶部侍郎盧弘正領鹽鐵，奏輿爲安邑兩池榷鹽使，檢校司封郎中，先是鹽法條例疏濶，吏多輕觸，輿爲立法數十條，奏之，莫不以爲宜，以勞，入朝爲司門員外郎，遷戶部郎中。

表聖生於唐文宗開成二年（西元八三七年），其時正値牛李黨爭，國勢漸替，又加甘露之變，大局日非。及懿宗咸通十年（西元八六九年），年逾而立，表聖始登進士第，主司者爲禮部侍郎王凝，特加獎掖，於宴集同榜士人時，曰：「凝叨參文柄，今年榜帖專爲司空先輩一人而已。」俄而，凝坐法，貶商州，圖感知遇，往從之，凝加器重，起拜宣歙觀察使，乃辟置幕府，召爲殿中侍御史。以赴闕遲留，左遷光祿寺主簿，分司東都。

僖宗乾符六年，宰相盧攜罷免，爲太子賓客分司，居於洛陽，圖與之遊，攜嘉其高節，厚禮之，嘗過圖舍，手題於壁曰：「姓氏司空貴，官班御史卑，老夫如且在，不用念屯奇。」明年，攜復入朝，路由陝虢，囑諸觀察使盧渥曰：「司空御史高士也，公其厚之。」渥即日奏爲賓佐。

其年，廣明元年（西元八八〇年），攜復執政，召拜禮部員外郎，賜緋魚袋，遷本司郎中。是年冬，黃巢入長安，帝出幸成都，圖從之未及。前圖弟有奴曰段章者，陷賊，執圖手曰：「我所主張將軍喜下士，且倖偕往通他，不且仆藉於溝轍中矣。」圖不肯往，章泣下，遂奔咸陽，間關，北歸河中，時已光啓三年。

光啓四年初（西元八八五年），亂平，僖宗自蜀還，次鳳翔，即行在拜知制誥，尋正拜中書舍人。其年，僖宗出幸寶鷄，表聖還歸河中。

光啓三年，即丁未歲，表聖流徙不定，有詩記其事：「家山牢落戰塵西，匹馬偷歸路已迷，塚上卷旗人簇立，花邊移寨鳥驚啼。本來薄俗輕文字，卻致中原動鼓鼙，時取一壺閑日月，長歌深入武陵溪。」（丁未歲歸王官谷有作），次年光啓四年，復有〈歸王官谷次年作〉一詩，曰：「亂後燒殘數架書，峰前猶自戀吾盧。」（此詩一題〈光啓四年戊申〉），戰亂之景，猶自驚心。

昭宗龍紀元年（西元八八九年），復召拜舍人，未幾，又以疾解，河北亂，乃寓居華陰。景福年間，詔爲諫議大夫，時朝廷微弱，紀綱大壞，圖自深惟，出不如處，遂移疾不起。乾寧中，又以戶部侍郎徵，一至闕廷致謝，數日，乞還山，許之。昭宗在華，徵拜兵部侍郎，稱足疾，固自乞，丁巳重陽詩云：「亂來已失耕桑計，病後休論濟活人。」時値昭宗遷洛鼎欲歸梁，柳璨希賊旨，陷害舊族，助喪王室，詔表聖入朝，表聖懼見誅，力疾至洛陽，謁見之日，墮笏失儀，趣意野耄，璨知不可屈，詔曰：「司空圖俊造登科，朱紫升籍，既養高以傲代，類移山以釣名，心惟樂于漱流，任非專於祿食，匪夷匪惠，難居公正之朝，載省載思，當徇棲衡之志，可放還山。」遂返居中條山王官谷。

表聖有先人別墅在中條山王官谷，泉石林亭，頗得幽棲之趣，自考槃高臥，日與名僧高士遊詠其中，晚年爲文，尤事放達。癸亥年（西元九〇〇年），修葺休休亭，並擬白居易〈醉吟傳〉，爲〈休休亭記〉，曰：「休，休也，美也，既休而其美在焉。司空氏禎貽谿休休亭，本濯纓也，濯纓爲陝軍所焚，愚竄避踰紀，天復癸亥歲，蒲稔人安，既歸，葺於壞垣之中，構不盈丈，然遽更其名者，非以爲奇，蓋量其材，一宜休也，揣其分，二宜休也，且耄而聵，三宜休也，而又少而惰，長而率，老而迂，是三者皆非救時之用，又宜休也。」記中言陝軍焚亭，未知何年，以其〈書屏記〉考之，陝軍復入在丙辰春正月，焚表聖前後所藏佛道圖記共七千四百卷，與此書屏，丙辰年在癸亥前七年也。

〈休休亭記〉又曰：「尚慮多難，不能自信，既而晝寢，遇二僧，其名皆上方刻石也，其一日顧謂吾曰：常爲汝之師也，昔矯於道，銳而不固，爲利慾之所拘，幸悟而悔，將復從我於是谿耳，且汝雖退，亦嘗爲匪人之所嫉，宜以耐辱自警，庶保其終始，與靖節醉吟第其品級於千載之下，復何求哉！因爲耐辱居士歌，題於亭之東北楹。」其歌曰：「咄諾，休休休，莫莫莫，伎倆雖多性靈惡，賴是長教閑處著，休休休，莫莫莫，一局棋，一爐藥，天意時期可料度，白日偏催快活人，黃金難堪騎鶴，若曰：爾何能？答云：耐辱莫。」其詭激嘯傲，多此類也。

表聖既脫柳璨之禍還山，乃預爲壽藏終制，遇勝日，故人來者，引之壙中，詩賦對酌，客或有難色，圖規之曰：達人大觀，幽顯一致，吾寧暫遊此中哉，公何不廣哉！表聖布衣鳩杖，出則以女家人鸞台自隨。每歲時祠禱鼓舞，表聖與閭里者老相樂，曾無傲色。王重榮父子雅重之，數饋遺弗受，嘗爲作碑贈絹數千，表聖置之於虞鄉，市人得取之，一日而盡。時寇盜所過殘暴，獨不入王官谷，士人依以避難。

《唐詩紀事》引僧虛中之詩曰：「僧虛中云：道裝汀鶴識，春醉野人扶，言其操履檢身，非傲世者也。又云：有時看御札，特地掛朝衣，言其尊戴存誠，非邀君也。」由此視之，表聖乃忠君愛國之士，其隱逸逃避，原非得已，故〈與惠生書〉曰：

某贅於天地之間，三十三年矣。及覽古之賢豪事蹟，慙企不暇，則又環顧塵蔑，自知不足爲天下之贅也。噫！豈非才不足而自強耶？雖然，丈夫志業，引之猶恐自�，誠不敢以此爲憚。故文之外，往往探治亂之本，俟知我者，縱其狂愚，以成萬一之效。……當今之治，苟在位者有問於愚，必先質以究實，鎭浮而勸用，使天下知有所竟，而不自窘以罪時焉。（見文集卷二）

治世之意勃然而興，然而世亂時危，卒未能一展。其見諸於歌詩者，如：

身病時亦危，逢秋多慟哭，
風波一搖蕩，天地幾翻覆。（秋思）

繭吾髮以群嬉兮，乃忞狎於林壑，
窘世路之榛榛兮，匪茲焉而何託。（題山賦）

樽前且撥傷心事，
谿上還隨覓句行。（喜王駕小儀重陽見訪）

至其爲〈中條王官谷序〉，亦以爲國難方殷，未得見志，故不能不寄託於山水文墨之中，序曰：「知非子雅嗜奇，以爲文墨之伎，不足曝其名也；蓋欲揣機窮變，角功利於古豪。及遭亂竄伏，又故無有憂天下而訪於我者，曷以自見平生之志哉？因捃拾詩筆，殘缺無幾，乃以中條別業一鳴，以目其前集，庶警子孫耳。」由此可見其歸隱，實出非得已之情，蓋救世之志未得舒展，故退而求之詩文，以抒其襟抱也。

至乎天佑元年（西元九〇四年），朱溫表請遷都，昭宗發長安，二月至華，又徵表聖爲兵部侍郎，表聖堅持不拜。四月昭宗至洛陽，八月遇弒。哀帝立，時丞相柳璨承溫旨，徵招表聖入洛爲兵部尙書，柳璨知其無意於世，幸得脫，而其時朱溫竟已纂位。

適梁開平二年（西元九〇八年），表聖既聞哀帝遇弒於濟陰，遂不食而卒，時年七十二。可哀矣。著有一鳴集三十卷，今存詩五卷，文十卷。

表聖在舊唐書入〈文苑傳〉，新唐書入〈卓行傳〉，並有贊曰：「圖知命，其志凜凜，與秋霜爭嚴，眞丈夫哉。」計敏夫亦云：「司空圖傷時思古，退已避禍，清音泠然，如世外道人，所謂變而不失其正者。」（見表聖詩集卷一，唐音統籤卷七百四引）。以上所評，允稱洽當。

第二章　司空圖《詩品》注釋

一、雄渾

大用外腓，眞體內充。返虛入渾，積健爲雄。
具備萬物，橫絕太空。荒荒油雲，寥寥長風。
超以象外，得其環中。持之非強，來之無窮。

注釋：

㈠大用外腓：腓，說文：「脛腨也」，易咸卦六二：「咸其腓」，朱熹注：「腓，足肚也。欲行則先自動，躁忘而不能固守者也。」腓，並有「避」意，廣雅，釋詁：腓，避也。王念孫疏證：「詩大雅生民：『牛羊腓字之。』」，傳：『腓，辟也。』班固幽通賦：『安滔滔而不萉兮。』曹大家注云：『萉，避也。』顏師古漢書敘傳注云：『萉字本作腓。』腓、辟、避、萉並通。又詩大雅鹿鳴：『小人所腓。』傳：『腓，辟也。』鄭箋：『腓當作芘。』是腓芘二字亦通。詩小雅采薇：『君子所依，小人所腓。』傳：『腓，辟也。』」故「外腓」有「向外擴張」之意。

(二)眞體內充：此接上句而言，指雄渾之大用伸張於外，實由於眞實之體氣盈滿其中也。

(三)返虛入渾：虛，莊子人間世：「惟道集虛」，郭象注：「虛其心則至道集於懷也。」渾，有渾沌、渾成之意，莊子應帝王：「中央之帝爲渾沌。」揚雄太玄經：「渾沌無端，莫見其垠。」此句言致「渾」之道，蓋在歸返虛空，無跡無象，而後始可入於渾然之境也。

(四)積健爲雄：積，積累也。健，有力也，不倦也。易乾卦：「天行健君子以自強不息。」戰國策秦策：「使者多健。」積健爲雄，言積聚強健之氣，而後乃能至大至剛，不可阻禦。此「雄」與「渾」，實互爲助成，互爲往返，能雄則能渾，能渾亦能雄矣。

(五)具備萬物：孟子盡心上：「萬物皆備於我矣。」，具備，具備於內也，萬物，指宇宙萬事、萬物、萬理。此言宇宙萬物皆備於我，而後乃能「眞體內充」以至「積健爲雄」之境也。

(六)橫絕太空：橫絕，猶言橫貫。太空，猶言天空也，關尹子：「一運之象，周乎太空。」蓋既能「具備萬物」，而後乃能「大用外腓」，以至「返虛入渾」，橫貫天空也。

(七)荒荒油雲：杜甫詩：「野日荒荒白，春流泯泯清。」荒荒，蒼茫廣漠之貌。油雲，孟子：「天油然作雲。」油雲爲流動之雲，荒荒狀其流動之貌。此言「橫絕太空」之狀，如遊雲在天蒼茫廣漠也。

(八)寥寥長風：寥寥，空虛。呂覽情欲：「九竅寥寥」。注：「極三關之欲，以病其身。故九竅寥寥然虛」。潘岳寡婦賦：「仰神宇天寥寥」。左思詠史詩：「寥寥空宇內，所講在玄虛」，寥寥，皆空虛貌。長風，晉書宗慤傳：「叔父問所志，慤曰：願乘長風，破萬里浪」，寥寥長風，蓋言其「橫絕太空」之狀，如長風奔騰于空虛之域。與前句荒荒油雲，同以自然之勢，狀雄渾之神。

(九)超以象外：孫綽遊天台山賦：「散以象外之說，暢以無生之篇」。梁武帝捨道事佛文：「啓瑞迹於天中，爍靈義於象外」，張淵觀象賦：「蓋象外之妙不可以麤理尋」。冷齋夜話：「唐僧多佳句，比物以意，而不止言一物，謂之象外句。」超以象外，言超乎形迹之外，至大而無限。

(十)得其環中：莊子齊物論：「樞始得其環中，以應無窮」，郭象注：「夫是非反覆相尋無窮，故謂之環，環中空矣，今以是非爲環而得其中者，無是無非也，無是無非，故能應夫是非，是非無窮，故應亦無窮。」又則陽篇：「冉相氏得其環中以隨成」，注：「虛靜無爲之處」。能超然物外，又能居於無爲之處，應乎無窮，此即雄渾最高之境也。

(十一)持之非強，來之無窮：強，矯也，勉也，匪強，不勉強。無窮，無窮盡也。言其渾化自然，故持之而不見勉強，氣勢雄大，故來之而無有盡窮。

二、冲淡

素處以默，妙機其微。飲之太和，獨鶴與飛。

猶之惠風，荏苒在衣。閱音修篁，美曰載歸。

遇之匪深，即之愈希。脫有形似，握手已違。

注釋：

㈠素處以默：素，質樸無華。處，居也。素處以默，言平日居處澹素，靜默爲守。

㈡妙機其微：法華玄義六：「妙機召究竟妙應」。妙機，天機之謂。微，言其幽微。妙機其微，言靜默爲守，心靈淡漠，故能與天機契合，入于幽微之境也。

㈢飮之太和，獨鶴與飛：太和，易乾卦：「保合大和，乃利貞」孔疏云：「純陽則暴，若無和順，則物不得利，又失其正，以能保安合會大和之道，乃能利貞於萬物。」後人多襲用作「太和」，後漢書馬融傳：「逢迎太和，俾助萬福」。嵇康答難養生論：「以太和爲至樂，則榮華不足顧也，以恬澹爲至味，則酒色不足欽也。」太和，亦作大和，蓋萬物生成之元氣。飮之於太和，而獨與鶴齊飛，太和爲恬靜之順境，鶴飛乃澹逸之仙姿，故見冲淡之象矣。

㈣猶之惠風，荏苒在衣：惠風，王羲之蘭亭集序：「天朗氣清，惠風和暢」，惠風即春日和暖之風。荏苒，津逮本作「苒苒」，或作荏染，篇海：「荏，荏染，猶侵尋也」。此二句蓋言猶之和暖之風，侵尋在衣也。

㈤閱音修篁，美曰載歸：修，善也，長也。修篁即長而美之竹。風動竹間，聲清韻和，故謂之閱音修篁，閱，更歷也，省視也。當此幽境，見其美而歎之曰：願與之歸矣。

㈥遇之匪深，即之愈希：匪深，不深也，遇之匪深，言無心而遇，見其淡漠之懷。即之，就之也，即之愈希，謂有意相近，轉覺其希微之趣！老子：「聽之不聞名曰希，搏之不得名曰微。」河上公注：「無聲曰希，無形曰微。」此二句言冲淡之境，可遇而不可求。

㈦脫有形似，握手已違：脫，或也；脫有即或有，若有，虛設之辭。違者，遠離也。此寫冲淡之妙，言若有形象恍惚可見，握手欲觸，卻已違失矣。

三、纖穠

采采流水，蓬蓬遠春。窈窕深谷，時見美人。
碧桃滿樹，風日水濱。柳陰路曲，流鶯比鄰。
乘之愈往，識之愈眞。如將不盡，與古爲新。

注釋：

㈠采采流水：詩經蜉蝣：「蜉蝣之羽，采采衣服。」朱熹注：「采采，華飾也。」王粲槐賦：「形禕禕以暢條，色采采而鮮明。」采采，鮮明貌，流水而言采采，見其「纖」意。

㈡蓬蓬遠春：詩小雅采菽：「其葉蓬蓬。」傳：「蓬蓬，盛貌。」蓬蓬，正言春意盎然，生機蓬勃也。遠春，春而云遠，正見其春色無際，遠近皆春也。春日而言蓬蓬，見其「穠」意。

㈢窈窕深谷，時見美人：窈窕，詩周南關雎：「窈窕淑女」，傳：「窈窕，幽閒也。」又山水宮室之深遠者，亦曰窈窕，文選郭璞江賦：「幽岫窈窕」，謝靈運山居賦：「濬潭澗而窈窕」，均是深遠之意。此二句寫纖穠之意，言於深谷之中，時見靜好之美人，纖穠之意，此時可得見其髣髴！

㈣碧桃滿樹，風日水濱：碧桃，郎士元詩：「重門深鎖無人見，惟有碧桃千樹花。」高蟾詩：「

天上碧桃和露種，日邊紅杏倚雲栽。」碧桃已見纖穠之象，況又滿樹。風日，有風有日。晉書陶潛傳：「環堵蕭然，不避風日」。沈佺期入衞詩：「淇上風日好，紛紛沿岸多。」張九齡東湖臨泛詩：「聊乘風日好，來泛芰荷香」。上句既言碧桃滿樹，下句復言此滿樹碧桃，正在風日水濱，則纖穠之象，如在眼前矣。

㈤柳陰路曲，流鶯比鄰：柳陰路曲，即柳暗花明，山重水複之意，柳陰可以見勝景，路曲更能通幽境，兼有百囀流鶯，比鄰唱和，纖穠之態，盡繞筆端矣！

㈥乘之愈往，識之愈眞：乘，因也，趁也，孟子公孫丑：「不如乘勢」。識，知也，認識也，禮樂記：「識禮樂之文者能述」，又通作誌，記也，論語述而：「默而識之」，二意皆通。乘之，識之，兩「之」字指「纖穠之境」，趁此纖穠之境而愈爲深入，則所識之境愈近於眞。此二句正啓「如將不盡，與古爲新」之意。

㈦如將不盡，與古爲新：如將不盡，即前言「蓬蓬遠春」之意，就「空間」言，纖穠之境，終無止盡。與古爲新，即李德裕文章論所言：「譬諸日月，雖終古常見而光景常新，此所以爲靈物也。」就「時間」言，纖穠之境，萬古長新矣。

四、沈著

綠林野屋，落日氣清。脫巾獨步，時聞鳥聲。

鴻雁不來，之子遠行。所思不遠，若爲平生。

海風碧雲，夜渚月明。如有佳語，大河前橫。

注釋：

㈠綠林野屋，落日氣清：綠林，津逮本作「綠杉」。野屋，以山石林木結成，爲野人之所居。杜甫詩：「野屋流寒水，山籬帶薄雲。」綠林野屋，遠離世俗也。其時前一輪落日，萬里氣清，沈著之象，已躍紙上。

㈡脫巾獨步，時聞鳥聲：顏延之詩：「脫巾千里外，結綬登王畿。」脫巾則不爲俗氣所累，獨步則不被俗慮所困，瀟灑極矣；況又「時聞鳥聲」，王維詩：「鳥鳴山更幽」。則其幽寂可知也。此四句正言其神韻沈著之景象。

㈢鴻雁不來，之子遠行：鴻雁可以傳書。郭祥正詩：「眼眼隨雲斷，書書託雁頻。」表聖亦有詩云：「幾時鴻雁傳歸信，剪斷香魂一縷愁。」鴻雁不來，則音信隔絕。之子遠行，詩漢廣：「之子于歸」，杜甫題張氏隱居詩：「之子時相見，邀人晚興留。」之子，即是子，之子遠行，承上句「脫巾獨步」，啓下句「所思不遠」，郭紹虞詩品集解云：「鴻雁不來，則雲山寥落，之子遠行，則情懷渺邈。」是也。

㈣所思不遠，若爲平生：此承上二句而言，雖然鴻雁不來，之子遠行，但因其情意深厚，故神態沈著，所思彷彿不遠，平生猶如一日。此四句乃言其情思沈著之景象。

㈤海風碧雲，夜渚月明：海風碧雲，於動中見其沈著，夜渚月明，於靜中顯其沈著。海風吹拂，而碧雲依然舒卷，月明流光，而夜渚一片幽靜。其爲美雖不同，而其爲沈著之象則一。

㈥如有佳語，大河前橫：佳語，四品彙鈔本注云：「俾西別墅本，佳語作『佳話』。」前此十句，寫盡沈著之象，此言當其入詩而有佳語時，卻不可娓娓而訴，必得行於所當行，止於所不可不止，如大河之前橫，不落滯泥方可，楊振綱《詩品續解》引皐蘭課業本原解，云：「此言沈摯之中，仍是超脫；不是一味沾滯，故佳。蓋必色相俱空，乃見眞實不虛。若落於迹象，涉於言詮，則纏聲縛律，不見玲瓏透徹之悟，非所以爲沈著也。」

五、高古

畸人乘眞，手把芙蓉。汎彼浩刼，窅然空縱。
月出東斗，好風相從。太華夜碧，人聞清鐘。
虛佇神素，脫然畦封。黃唐在獨，落落玄宗。

注釋：

㈠畸人乘眞，手把芙蓉：畸人，莊子大宗師：「畸人者，畸於人而侔於天。」成玄英疏：「畸者不耦之名也，修行無有，而疏外形體，乖異人倫，不耦於俗。」眞，說文：「仙人變形而登天也。」莊子漁父篇：「眞者精誠之至也。」又曰：「眞者所以受於天也，自然不可易也，故聖人法天貴眞，不拘於俗。」芙蓉，即蓮花，李白廬山謠：「遙見仙人綵雲裏，手把芙蓉朝玉京。」又古風詩云：「西上蓮花山，迢迢見明星，素手把芙蓉，虛步躡太清。」

㈡汎彼浩劫：詩柏舟：「泛彼柏舟」，汎與泛同，度也。浩劫，佛經中言天地由成住以至壞空爲一大劫，一大劫有八十中劫，即成住壞空四期，各有二十中劫，每一中劫合一增一減之兩小劫而成，即人壽自十歲每百年增一歲，增至八萬四千歲，謂之一增劫，反之，人壽自八萬四千歲每百年減一歲，減至十歲，謂之一減劫，因其歷時甚長，故云浩劫。又因壞劫中起火、水、風，三大災，俗本此而稱大災禍爲浩劫。汎彼浩劫，即歷盡浩劫，度過浩劫之意。

㈢窅然空蹤：窅，深目也，亦作窈，深遠之貌，窅然，即言其深遠難見也，莊子逍遙遊：「窅然喪其天下焉」，窅然作悵然解，與此不同。空蹤，說郛本、津逮本皆作「空縱」，歷代詩話本作「空蹤」，言仙人歷經浩劫，乃手把芙蓉，乘彼眞氣，窅然而引，蹤迹爲空，此高古之氣概也。

㈣月出東斗，好風相從：東斗，即東方之星宿，此指東方。蘇軾赤壁賦：「月出于東山之上，徘徊于斗牛之間，白露橫江，水光接天，蹤一葦之所如，凌萬頃之茫然，浩浩乎如馮虛御風，而不知其所止，飄飄乎如遺世獨立，羽化而登仙。」月出東方之時，好風與之相從，此高古之景象也。

㈤太華夜碧，人聞清鐘：太華，即西嶽華山，在今陝西省華陰縣南，華山入夜，其色凝碧，置身此境，俗慮盡除，此時忽聞寺鐘清響，動我神思，輒欲棄塵寰而遠引。此高古之境界也。

㈥虛佇神素：虛，空也。佇，有貯積之義，文選孫綽遊天台山賦：「惠風佇芳於陽林」，李善注：

「佇猶積也。」神者，事理微妙難窮者也，易繫辭：「陰陽不測之謂神。」素者，本也，物之本質謂之素，列子：「太始者，形之始，太素者，質之始也。」北史韋敻傳論：「敻隱不負人，卓不絕俗，怡神墳籍，養素丘園，哀樂無以動其心，名利不足干其慮，實近代之高人也。」郭紹虞《詩品集解》言：「心之靈謂之神，象之眞謂之素。」虛佇神素，即言神素不爲俗氣係累，積存於內而能超然物外。此高古之胸懷也。

(七)脫然畦封：畦，楚辭招魂：「倚沼畦瀛兮。」王逸注：「畦猶區也。」封，左傳襄十三年：「田有封洫。」莊子齊物論：「夫道未始有封。」注：「道無不在，有何封域也。」畦封，即疆界，限域之意。脫然，公羊傳昭十九年：「樂正子春之視疾也，復加一飯，則脫然愈，復損一飯，則脫然愈。」注：「脫然，疾除貌。」脫然畦封，即超脫塵俗之束縛，自游於世俗之外，此高古之領域也。

(八)黃唐在獨，落落玄宗：黃唐，黃帝與唐堯。黃唐在獨，言詩人之心，抗懷千古，獨以黃唐爲宗。語原本陶潛時運詩：「黃唐莫逮，慨獨在余。」落落，不苟合之貌，後漢書耿弇傳：「帝以爲落落難合。」玄宗，玄妙之宗旨，老子：「玄之又玄，衆妙之門。」落落玄宗，上承黃唐在獨而言，既已寄心黃唐，抗志千載，故與世寡合，獨懷此玄妙之道以自期也。臯蘭課業本注解云：「此言神仙富貴，非有兩途，故得乾坤浩氣，追溯軒黃唐堯氣象，乃是高古。」

六、典雅

玉壺買春，賞雨茆屋。坐中佳士，左右修竹。

白雲初晴，幽鳥相逐。眠琴綠陰，上有飛瀑。

落花無言，人淡如菊。書之歲華，其曰可讀。

注釋：

㈠玉壺買春，賞雨茆屋：玉壺，酒器也。買春，春有二解，一解以春爲酒，唐國史補云：「酒則有郢州之富水春，烏程之若下春，滎陽之土窟春，富平之石東春，劍南之燒春。」蓋唐時多以春爲酒名。一解以春爲春景，楊廷芝詩品淺解云：「春，春景。此言載酒遊春，春光悉爲我得，則直以爲買耳。孔平中詩：買住青春費幾錢，楊萬里詩：種柳堅隄非買春。」以後說爲佳，茆即茅字。於茅屋中賞雨，見其典雅之意。分開而言，玉壺買春，典多於雅，賞雨茆屋，雅勝於典。

㈡坐中佳士，左右修竹：佳士，品行清純之士，晉書任愷傳：「愷子罕，才望不及愷，以淑行著稱，爲清平佳士。」坐中佳士，則其典重可知。修竹，長而美之竹，古人以竹爲清雅之物，杜甫詩：「春日鶯啼修竹裏，仙家犬吠白雲間。」左右修竹，則其幽雅可風矣。此四句連看，則玉壺買春，賞雨茅屋者何人？佳士也，其境如何？左右皆修竹也，其中典雅之趣，自然得之。

㈢白雲初晴，幽鳥相逐：初晴，有作「初起」者，誤。白雲，與陰雲慘霧相對而言，本已疏淡十分，又逢初晴之時，益見典雅之致。幽鳥，與鷙鳥雕鳥相對而言。相逐，或言群鳥相互戲逐，或言群鳥與人相親而旋飛其旁。與幽鳥相逐，於白雲初晴之際，則典文雅意，彌出無窮。

㈣眠琴綠陰，上有飛瀑：眠琴，即橫琴不彈之意，琴既已眠，則人之徜徉於綠陰之下，固不待言矣。琴爲清雅之物，綠陰乃幽靜之處，眠琴綠陰，自爲典雅之事，此時其上復有飛瀑，飛瀑者，非止水也，非濁流也，瀑聲飛韻，不尤勝於琴絃乎？則詩人所有，寧非典雅之極？

㈤落花無言，人淡如菊：落花無言，見其雅致，人淡如菊，見其疏略，古人以菊喻隱士清高之志，此二句實已蘊含典雅之神髓。

㈥書之歲華，其曰可讀：書，書寫也。之，此也，指典雅而言。歲華，即年華，歲月之意。「其曰可讀」句，「其」爲語首助詞。「曰可讀」，即可讀之佳章也。此二句合而言之，蓋即書此典雅之時光，必爲可讀之篇什。如是言之，則典雅豈惟屬于不食人間煙火者乎？

七、洗鍊

如鑛出金，如鉛出銀。超心鍊冶，絕愛緇磷。
空潭瀉春，古鏡照神。體素儲潔，乘月返眞。
載瞻星氣，載歌幽人。流水今日，明月前身。

注釋：

㈠如鑛出金，如鉛出銀：金銀乃是貴重之物，精純之體，此以金銀之出於鑛鉛，以喻洗鍊之功。如鑛，津逮本作「猶鑛」。

㈡超心鍊冶，絕愛緇磷：超心，有專心，用心之意。絕愛，極爲喜愛之意。緇磷，說文：「緇，帛黑色也。」磷，薄也。論語陽貨篇：「不曰堅乎？磨而不磷。不曰白乎，涅而不緇。」因其超心予以鍊冶，則緇磷之物亦可使之堅白，寧不使人絕愛之？此亦洗鑛揀金，鍊鉛取銀之意。楊廷芝詩品淺解，以爲「緇磷」可作「動詞」用，其言曰：「一作活字用，緇所以染之使新，磷所以磨之使新，洗伐之功，深入無際，則新而益求其新，有令人最足愛者。」亦足以發表聖之意。

㈢空潭瀉春，古鏡照神：此喻洗鍊之神。空潭，見其清明，空潭而又瀉春，則清明之中蘊含生機。古鏡，言其雅淨，古鏡而能照神，則雅淨之中呈現氣韻。此二句重在寫「春」與「神」，雖分屬爲二，而細觀則一，蓋空潭即爲古鏡，瀉春即是照神也。論其託意，則所以喻洗鍊之極致。

㈣體素儲潔：體，參究悟解也，莊子刻意篇：「素也者，謂其無所與雜也。純也者，謂其不虧其神也，能體純素，謂之眞人。」郭紹虞詩品集解以體爲「本體」之體，其言曰：「體素，即易文言『君子體仁足以長人』之體，謂之以素爲體也。」其論不及前說。儲，即儲存之意，「儲潔」正與「體素」相偶爲言，「高古品」有「虛佇神素」之語，與此義通。

㈤乘月返眞：乘月，晉書袁宏傳：「秋夜乘月，率爾與左右微服泛江。」陳子昂嵩岳聞笙詩：「仙人不可見，乘月夜吹笙。」返眞，莊子大宗師篇：「嗟來桑戶乎，嗟來桑戶乎，而已返其眞，而我猶爲人猗。」此返其眞，謂棄去肉體而逝，如還於空寂也。又，莊子秋水篇：「無以人滅天，無以故滅命，無以得殉名，謹守而勿失，是謂反其眞。」成玄英疏：「返本還源，復於眞性。」此返其眞，乃謂修心養性，而歸於本原。眞之本義，乃爲謫仙羽化而登天，故返眞亦有返於仙境之意。此句與上句「體素儲潔」合賞，蓋言詩人能全其純素，乃乘此月色，返歸眞如之境，此狀洗鍊之妙也。

㈥載瞻星氣，載歌幽人：星氣，津逮本作「星辰」，陰鏗經豐城劍池詩：「無復連星氣，空餘似月池。」言星光之晶瑩明亮者。幽人，隱居而幽雅之士，孟浩然上巳日詩：「浴蠶逢姹女，採艾値幽人。」載，語助詞，則也，乃也。載瞻星氣，載歌幽人，言其所瞻者星氣，所歌者幽人，此狀洗鍊之極也。

㈦流水今日，明月前身：無名氏詩品注釋云：「言流水是我今之日，而活潑無窮，明月是我前之身，而修因有素也。今字有當前指點意，前字有三生夙業意，二語使人神往。」流水，明月，俱見皎潔、曠逸之思，李白詩：「好風吹落日，流水引長吟。」宋玉神女賦：「其少進也，皎若明月舒其光。」此豈非洗鍊之最高境界乎？

八、勁健

行神如空，行氣如虹。巫峽千尋，走雲連風。
飮眞茹強，蓄素守中。喻彼行健，是謂存雄。
天地與立，神化攸同。期之以實，御之以終。

注釋：

㈠行神如空，行氣如虹：行，運行也，行神如空，言神之運行，如在太空，一無阻遏；行氣如虹，言氣之運行，如貫長虹。能貫達橫通，一無遲滯，此即勁健有力之貌。

㈡巫峽千尋，走雲連風：巫峽，長江三峽之一，在四川省巫山縣東，湖北省巴東縣西，因巫山爲名，兩岸均爲峭壁，水流湍急，每晴初霜旦，林寒澗肅，常有猿嘯，聲極淒厲。千尋，古以八尺爲尋，千尋極言其高。杜甫秋興詩：「巫山巫峽氣蕭森」。言千尋巫峽，非僅絕崖高聳，且狹道廻旋。而於其間見雲之奔走，風之連合，氣勢蕭森，更顯勁健之概。

㈢飲眞茹強，蓄素守中：茹，食也。眞，眞氣也，強，強力也，飲眞茹強，允能強勁。但強勁如不能久持，亦不足以言勁健，故繼之以蓄素守中，蓄素則摒棄後起之彩繪，故能持久不變；守中，老子：「多言數窮，不如守中。」中有二解，一曰內也，與衷意同，一曰不偏謂之中，即中庸之道，守中能久，能久則健。

㈣喻彼行健，是謂存雄：行健，易乾卦：「天行健，君子以自強不息。」孔疏：「行者，運動之稱，健者，強壯之名。」存雄，莊子天下篇：「天地其壯乎，施存雄而無術。」注：「守雌者道，存雄者非道也。」此言惠施僅知存雄而不知守雌，不爲有術，老子：「知其雄，守其雌，爲天下谿。」表聖以「行健」「存雄」喻勁健風格，則其存雄非惠施之「存雄而無術」，而與「積健爲雄」之意相近。

㈤天地與立，神化攸同：此喻勁健之功。蓋凡勁健有力者，從時間言，則萬古流芳，天地與之並立，從空間言，則精深博大，宇宙與之同參。

㈥期之以實，御之以終：兩句總結全品。期，期求；實，充實；期之以實，去其虛弱，以見勁也。御，駕馭；終，終久；御之以終，無有斷失，以見健也。

九、綺麗

神存富貴，始輕黃金。濃盡必枯，淡者屢深。
霧餘水畔，紅杏在林。月明華屋，畫橋碧陰。
金尊酒滿，伴客彈琴。取之自足，良殫美襟。

注釋：

㈠神存富貴，始輕黃金：言詩人能神存富貴，始能不重黃金，蓋能內蘊富貴之氣象，方可外摒黃金之綺麗也。

㈡濃盡必枯，淡者屢深：淡者，津逮本作「淺者」，作「淡者」爲佳。無名氏詩品注釋：「天地間物濃者易盡，盡則成枯，惟以澹自持者，其澹無窮，無窮則屢深。」是以表聖言綺麗非以濃豔爲美，而以清淡爲佳，蓋惟淡者能入且能深也。

㈢霧餘水畔，紅杏在林：霧餘水畔，津逮本作「露餘山青」。霧者，飄渺之物，霧餘水畔，則見霧氣與水氣，交相瀰漫，呈其深遠之貌，此時紅杏在林，以其色澤鮮麗，且在霧中，愈覺其景象綺麗照人。

㈣月明華屋，畫橋碧陰：華屋，文采繪飾之屋，月明華屋，言月光照映下之華屋，別有一番美境。畫橋，雕刻圖畫之橋，畫橋碧陰，言畫橋掩映於綠樹穠蔭之下，更見詩意。華屋，畫橋，已極華麗，復置於月明之時，碧陰之下，則其綺麗可以想見矣！

㈤金樽酒滿，伴客彈琴：金樽酒滿，以金為樽，酒又溢滿，一見其晶瑩可玩，二見其富貴堪誇，此非綺麗為何！伴客彈琴，則閒雅之意可知，而綺麗之景亦可見矣，此所謂「淡者屢深」也。伴客，四品彙鈔本注云：「俾西別墅本，伴客作『共客』。」

㈥取之自足，良殫美襟：之，指綺麗之象。足，充足也，自足則無需力求。良，信也；殫，盡也；襟，心懷也。言綺麗景象取用無盡，而能盡訴詩人美好之胸襟。陶淵明與諸人共遊周家墓柏下詩云：「未知明日事，余襟良已殫。」當與此語之意相發。

十、自然

俯拾即是，不取諸鄰。俱道適往，著手成春。

如逢花開，如瞻歲新。眞與不奪，強得易貧。

幽人空山，過雨採蘋。薄言情悟，悠悠天鈞。

注釋：

㈠俯拾即是，不取諸鄰：楊廷芝詩品淺解：「首言隨手拈來，頭頭是道，次言己所本有，毫不費力也。」此言取材重自然也。李白春夜宴從弟桃李園序：「陽春召我以烟景，大塊假我以文章。」亦即此意。

㈡俱道適往，著手成春：莊子天運篇：「道可載而與之俱也。」老子：「道法自然。」適，亦往也。論語子罕篇：「可與共學未可與適道，可與適道未可與立。」俱道適往，則其自然可知，能自然，則著手即可成春，言其詩章美好如春也。

㈢如逢花開，如瞻歲新：春來花開，冬去歲新，與時而至，天道自然，非人力所能強求強拒者。沈佺期春日芙蓉園侍宴應制詩：「風來花自舞，春入鳥能言」，正與此意契合。

㈣眞與不奪，強得易貧：與，給予也。眞實給予者，不爲人所簒奪，勉強求得者，易致貧乏，所以如此，前者自然，後者強求也。

㈤幽人空山，過雨採蘋：幽人，詩品淺解本作「幽入」。幽人空山者，言幽隱之人居於空山，一片道心純任自然，張說詩：「空山寂歷道心生。」過雨，津逮本作「過水」。「過雨採蘋」，蘋，水草也，多年生草本，長於淺水中，其莖柔輭，言雨過後採蘋，順手採擷，不刻意尋求，而自然得之也。

㈥薄言情悟：薄，言，皆發語詞，無義，詩周南芣苢：「采采芣苢，薄言采之。」情悟，津逮本作「情晤」。情悟，指詩人心中之情，遇外物而有所悟。情晤，則指以情晤會外物也。

㈦悠悠天鈞：悠悠，久遠貌，詩鄘風載馳：「驅馬悠悠」。行貌，詩小雅黍苗：「悠悠南行」。

天鈞，陶人爲器，其轉輪曰鈞，漢書董仲舒傳：「猶泥之在鈞，唯甄者之所爲。」注：「鈞，造瓦之法，其中旋轉者。」天鈞者，言自然之所陶鑄，如陶人之轉輪。莊子齊物論：「是以聖人和之以是非而體乎天鈞。」薄言情悟，悠悠天鈞，指詩人之情，接外物而悟，則如天地運行之自然，悠悠而久。

十一、含蓄

不著一字，盡得風流。語不涉己，若不堪憂。
是有眞宰，與之沉浮。如淥滿酒，花時返秋。
悠悠空塵，忽忽海漚。淺深聚散，萬取一收。

注釋：

㈠不著一字，盡得風流：著，作附著解，不著一字，言不著一字於紙上也，此意當謂詩中各字未曾有一字粘著。盡得風流，其中「風流」，乃指事物本質所具之神韻，未可以跡象求者。此兩句乃云詩句中雖不著一與此事物有關之字，而其本質所具有之神韻已盡得之矣。

㈡語不涉己，若不堪憂：此二句，津逮本作「語不涉難，已不堪憂。」螢軒本作「語不涉難，若不堪憂。」語不涉己，若不堪憂，言詩中用語彷彿與己無涉，然讀來似有無法忍受其憂愁者。至「語不涉難，已不堪憂」，則言詩中用語雖未涉及「患難」「苦痛」之辭，而讀來已令人不勝憂鬱。皆由讀者之感受，而著「含蓄」之功也。

㈢是有眞宰，與之沈浮：眞宰，莊子齊物論：「若有眞宰而特不得其眹。」郭注：「萬物萬情，趣舍不同，有若眞宰使之然也，起索眞宰之眹迹，而亦終不得，則明物皆自然，無使物然也。」眹有徵兆，迹象之意，莊子以眞宰爲天地萬物之主宰，但索而未能得其迹象，表聖之意，即以爲語不涉己，而能若不堪憂，蓋自有眞宰與之或沈或浮，思之輒悟，索之便得，朗然心胸，毫無隱蔽。乃益見詩中含蓄之處，雖若隱若現，然一思索，便得之矣。

㈣如淥滿酒，花時返秋：淥，通漉，滲也，史記司馬相如傳：「滋液滲漉。」如淥滿酒，言釀酒之物滿溢酒汁，當其滲漉而下，一滴一滴，從容流注。以見其含蓄之狀。「如淥滿酒」，歷代詩話本作「如滿綠酒」，螢軒本作「如綠滿酒」，四品彙鈔本云：「坊本『綠』作『飲』。」花時返秋，言花開時節，卻遇秋寒之氣，則含苞之狀，待開未開，亦見含蓄之神態也。

㈤悠悠空塵，忽忽海漚：悠悠，廣潤無際。忽忽，飄浮無定。空塵，空中微塵。海漚，海中水泡。

㈥淺深聚散，萬取一收：此接上兩句而言，海中水泡游淺游深，飄浮不定，空中微塵，時聚時散，廣潤無際，至其淺深聚散之法，或可萬數，然求其本質，則豈不可以一理收之？郭紹虞詩品集解云：「塵與漚之淺深聚散，形形色色，博之雖有萬途，約之只是一理，要均歸於含蓄而已。」所言極是，足資參證也。

十二、豪放

觀花匪禁，吞吐大荒。由道返氣，處得以狂。
天風浪浪，海山蒼蒼。眞力彌滿，萬象在旁。
前招三辰，後引鳳凰。曉策六鼇，濯足扶桑。

注釋：

㈠觀花匪禁：向有二解，一曰：匪，非也，不也，詩周頌思文：「莫匪爾極」。禁，止也，戒也，左傳僖三年：「齊侯與蔡姬乘舟于囿，蕩公，公懼，變色，禁之不可。」觀花匪禁，言觀花不予禁戒，任其俯仰欣賞，心領神會，以見豪放之神。一曰：匪，彼也，詩小雅小旻：「如匪行邁謀。」左傳襄八年引此詩，杜預訓匪爲彼，王念孫云：「此猶下文『如彼築室于道謀，是用不潰于成』，亦猶雨無正篇云『如彼行邁』也。」禁，古時以禁稱天子所居之處，如天子所居曰禁中，禁省，史記秦始皇紀：「二世常居禁中。」又如天子之苑囿曰禁苑，文選張衡西京賦：「上林禁苑，跨谷彌阜。」又如帝后居處曰宮禁，後漢書和熹鄧皇后紀：「宮禁至重。」是則觀花匪禁，乃言觀花於天子所居之禁中，以著豪放之迹，兩說蓋皆可通；然似以前說爲妥。至孫聯奎詩品臆說，獨以爲「花」當作「化」，是則「觀化匪禁」一句，即「洞悉造化，略無滯窒」，亦見豪放之氣。

㈡吞吐大荒：大荒，山海經大荒西經：「大荒之中，有山名曰大荒之山，日月所入，是謂大荒之野。」極言山野之廣大敻遠。吞吐大荒，言其氣魄非凡也。

㈢由道返氣，處得以狂：由，遵守也，由於道而返於氣，則永見充沛。處，處置也，居止也，處得以狂，言處於順境之時，狂放自在，則永無拘牽。永充沛，無拘牽，乃能達於豪放之境也。以狂，詩萃編本作「以強」。

㈣天風浪浪，海山蒼蒼：天風，言風之大者，李白詩：「海客乘天風。」浪浪，廣大之貌，楚辭離騷：「攬茹蕙以掩涕兮，霑余襟之浪浪。」蒼蒼，茂也，盛也，見廣雅釋訓。王念孫疏證曰：「秦風兼葭篇：『兼葭蒼蒼』，傳云：『蒼蒼，盛也。』」天風浪浪，海山蒼蒼，以自然景象狀豪放之極，無名氏詩品注釋云：「譬其意象，則如浪浪然天風之廣濶而無涯涘也，蒼蒼然海山之高莽而莫追攀也。」足資參悟。

㈤眞力彌滿，萬象在旁：眞力，眞切著實之力，文子：「得天地之道，故謂之眞人。」則眞力亦爲得天地之道而有之力。彌滿，彌亦滿也，言充滿於內。萬象，指萬事萬物，晉書孝友傳：「分渾元而立體，道貫三靈，資品彙以順名，功苞萬象。」其內，眞力彌滿，其外，萬象在旁，則無所不具，無所不備，豪氣自出。

㈥前招三辰，後引鳳凰：三辰，日月星謂之三辰。鳳凰，亦作鳳皇，尚書益稷：「簫韶九成，鳳皇來儀。」孔傳：「雄曰鳳，雌曰凰。」鳳凰爲神鳥，不與凡鳥爲伍，今三辰可招而至，鳳凰可引而來，豪放之氣干於雲霄。

㈦曉策六鼇：曉，天初亮也，時大氣彌漫，清朗捲舒。鼇，海中大鼈也。列子湯問篇：「龍伯之國有大人，舉足不盈數步，而暨五山之所，一釣而連六鼇。」曉策六鼇，即凌彼曉氣，策此神鼇，而見豪放之神。

㈧濯足扶桑：扶桑，神木名，山海經海外東經：「湯谷上有扶桑，十日所浴。」又十洲記：「扶桑在碧海中，樹長數千丈，一千餘圍，兩幹同根，更相依倚，日所出處。」此借爲日升之處。濯足，左思詠史詩：「振衣千仞岡，濯足萬里流。」表聖因是而以濯足扶桑爲豪放之象，詩品臆說云：「非六鼇不足鞭策，足徵有膽，非扶桑不屑濯足，足徵有識。」有膽有識，則無物能囿矣。

十三、精神

欲返不盡，相期與來。明漪絕底，奇花初胎。
青春鸚鵡，楊柳樓臺。碧山人來，清酒深杯。
生氣遠出，不著死灰。妙造自然，伊誰與裁。

注釋：

㈠欲返不盡，相期與來：返，回還也。期，要約也。此兩句，楊廷芝詩品淺解云：「一言精神之體，一言精神之用。言欲返於內，則精聚神藏，自有不盡之蘊；而相期於心，則精酣神足，莫佇與來之機。」一來一往，無有盡期，見其精神。

㈡明漪絕底，奇花初胎：漪，水波也，初學記：「水波如錦文曰漪。」絕底，極底也。明漪絕底，言水波之清明徹底也。胎，凡孕而未生皆曰胎，此以胎擬花之含苞待放，奇花初胎，即花之殊美者，正含苞欲放也。明漪，奇花，已見其內斂之精神，更加以絕底之處，初胎之時，則其精神之外爍，奕奕而有神矣。此精神也，一見其清明，一見其飽實焉。

㈢青春鸝鵡，楊柳樓臺：青春，春日草木滋茂，其色蒼青，故曰青春，楚辭大招：「青春受謝，白日昭只。」鸝鵡，鳥名，能效人語，鸝鵡跳躍能言，春光鮮明而媚，則青春鸝鵡正足以繪出精神之神態。楊柳，穠烟之內可見枝條；樓臺，重屋之中而有臺榭，兩者相互掩映，則生機橫溢，精神充塞矣。樓臺，津逮本作「池臺」。

㈣碧山人來，清酒深杯：碧山，李白詩：「問余何事棲碧山。」碧山，青綠之山，比喻隱者所居之境，碧山人來，即「有朋自遠方來，不亦樂乎？」之意，深相投契，故舉杯對飲，酒逢知己，千杯爲少，此時酒爲清酒，杯乃深杯，契悟良深，意興益昂，詩之精神亦似此而流露矣。深杯，杜甫詩：「數莖白髮那拋得，百罰深杯亦不辭。」津逮本作「滿杯」，不如深杯意趣佳妙。

㈤生氣遠出，不著死灰：生氣，即生物宣發之氣，喻生機也，禮記月令：「季春之月，生氣方盛。」遠出，遠有久長之義，遠出即言多出，深出。生氣遠出，從正面言，活潑之生氣，躍然而出，倍見精神也。不著死灰，從反面言，不有沈沈死氣，自見勃勃精神。死灰，莊子齊物論：「形固可使如槁木，而心固可使如死灰乎？」杜甫詩：「冥心著死灰。」以火焰已息之灰喻生氣之全無也。

㈥妙造自然，伊誰與裁：妙，巧妙，指詩心巧妙，造，建構也，達至也。伊，語助詞，詩小雅正月：「伊誰云憎。」箋：「伊當讀爲緊。」緊即爲語首助詞。言詩心妙造自然，精神當與自然化而爲一，如此境界，是誰爲之裁剪者乎？

十四、縝密

是有眞迹，如不可知。意象欲出，造化已奇。

水流花間，清露未晞。要路愈遠，幽行爲遲。

語不欲犯，思不欲癡。猶春於綠，明月雪時。

注釋：

㈠是有眞迹，如不可知：是有，猶確有。確有眞迹閃爍其間，然一追索，又似不可得知。詩品臆說云：「落葉滿空山，何處尋行迹？」以之喻縝密，甚爲得也。

㈡意象欲出，造化已奇：意象，劉勰文心雕龍：「獨照之匠，闚意象而運斤。」意象，即詩人心中情景交融，因此而引生之形象。造化，莊子：「以天地爲大鑪，以造化爲大冶。」淮南子：「惟造化者，物莫能勝也。」造化，猶天地之涵育，自然之形成也。意象將出未出之時，天地造化之功之奇已顯，此乃詩人匠心細微，意由體生，不待朗誦，奇象已明也。意象欲出，津逮本欲出作「欲生」。

㈢水流花間，清露未晞：晞，乾也，燥也，詩小雅湛露：「匪陽不晞。」水流花間，言水流平面，無隙不入，縝密極矣，當其流經花間，則花光水色，渾然一體，又呈現縝密之象也。清露未晞，言清露本身如一結晶之體，當其未晞之時，此一結晶之體，普潤大地，一片晶瑩，奪人之目，縝密之象又進一層矣。水流花間，津逮本作「水流花開」，則其意當是：縝密之象，如水之流，一無間隙，如花之開，層次井然。

㈣要路愈遠，幽行爲遲：要路，重要之路，通常引申爲重要之地位，古詩：「何不策高足，先據要路津。」幽行，幽雅之行也。無名氏詩品注釋云：「又如要路然，路爲緊要之路，則愈遠而愈不敢疎，如古之防敵關塞，不以遠而或忽也。又如幽行然，行爲幽邃之行，則爲景甚多，由之者必爲之遲行，而仔細賞玩。」此以「要路」「幽行」喻「縝密」之未可或忽也。又，楊廷芳詩品淺解則以爲：「要路之所以愈遠者，等無可躐；幽行之所以爲遲者，境匪易臻。」等無可躐，境匪易臻，均由縝密故也。

㈤語不欲犯，思不欲癡：犯，侵也，語不欲犯，言詩中用語不可相侵犯、相重複。癡，癡肥也，言詩思不可泥滯癡肥。此再明縝密之眞諦，詩語不欲其繁複，繁複不足於言縝密，詩思不欲其厚重，厚重不足於見縝密，然則，縝密者何？精細而見其神奇也。

㈥猶春於綠，明月雪時：此繼前意而說，語不繁犯，思不呆癡，未盡縝密之諦，須如春光與於綠色，相映盎然，月色與於雪光，交融一體，未可析分，此則縝中有密，而密中有縝也。

十五、疎野

惟性所宅，眞取弗羈。控物自富，與率爲期。

築室松下，脫帽看詩。但知旦暮，不辨何時。
倘然適意，豈必有爲。若其天放，如是得之。

注釋：

(一)惟性所宅，眞取弗羈：惟，猶隨也。宅，居也，安也，書舜典：「使宅百揆。」惟性所宅，言隨性之所安而居，性，自然之資，不假外求。眞，莊子秋水篇：「謹守而勿失，是謂反其眞。」注：「眞在性分之內。」羈，馬絡頭也，禮檀弓：「如守社稷，則孰執羈靮以從。」眞取弗羈，言隨性之純眞而取，如馬之不受絡頭，不加羈束也。惟性所宅，就內而言，疎也。眞取弗羈，從外而言，野也。惟疎野始能如是。

(二)控物自富，與率爲期：控，引也，說文段注：「引者開弓也，引申之爲凡引遠使近之稱。」與，同以，禮玉藻：「大夫有所往，必與公士爲賓也。」率，直率，坦率。期，要約。與率爲期，言以直率爲期約。控引外物以自富，而以率直自我期許，則其眞性徵逐于萬物之間。其疎野之象自見。控物，津逮本作「拾物」，無名氏詩品注釋云：「拾得之物本不足言富，而彼則自成其富，隨意所取，總與其眞率之天爲期，而初不事拘束也。」

(三)築室松下，脫帽看詩：此寫疎野之味。晉書潘岳傳：「築室種樹，逍遙自得。」築室於松下，更覺疏略。脫帽而看詩，即眞取弗羈之意，愈見其悠然自得之情。

(四)但知旦暮，不辨何時：疎野之至，但知早晚時候，而不辨一日之時分也；此言其但知大者而遺其小者，知大節而忽其小節也。桃花源記：「問今世何世，乃不知有漢，無論魏晉。」

㈤倘然適意，豈必有爲：倘然，猶云倘便。倘然順遂己意，則安適而行，何須有所作爲，能如此乃可頌疏野之趣。

㈥若其天放，如是得之：天放，莊子馬蹄：「民有常性，織而衣，耕而食，是謂同德，一而不黨，命曰天放。」天放即任天自在之意，亦即順乎天而應乎情，能如是始可謂得疏野之境。

十六、清奇

娟娟群松，下有漪流。晴雪滿汀，隔溪漁舟。
可人如玉，步屧尋幽。載瞻載止，空碧悠悠。
神出古異，澹不可收。如月之曙，如氣之秋。

注釋：

㈠娟娟群松，下有漪流：娟娟，美好貌，杜甫詩：「風含翠篠娟娟淨。」群松而謂之娟娟，已見清奇之貌。漪流，流水而有錦紋者之謂。娟娟群松，下有漪流，蓋言松陰水流，相映以成清奇之境也。

㈡晴雪滿汀，隔溪漁舟：滿汀，說郛本「汀」作「竹」，以汀字爲佳，依津逮本校改。汀，水岸平處曰汀。晴雪，指雪後天晴猶存之雪，杜甫謁眞諦寺禪師詩：「晴雪落長松。」晴雪未化，滿覆汀洲，此時天朗氣清，一望無垠，而隔溪有漁舟數點，無人自橫，是亦清奇之境。

㈢可人如玉，步屧尋幽：可人，性行可取之人，禮雜記：「管仲遇盜，取二人焉，上以爲公臣，曰：『其所與遊辟也，可人也。』」疏：「可人也者，謂其人性行是堪可之人也。」如玉，詩國風野有死麕：「白茅純束，有女如玉。」傳：「德如玉也。」箋：「如玉者取其堅而潔白。」可人如玉，言其人性行幽雅，潔美如玉。屧，同屟，王筠說文句讀，屟字注：「衆經音義云：『屟，鞶腹令空薦足者也。』然則屟以木爲之而空其中也。」亦即今日所謂之「木屐」也。步屧，杜甫詩：「步屧隨春風，村村自花柳。」步屧尋幽，自爲清奇之事，以如玉之可人，步木屧而尋幽勝，是非清奇之境耶？

㈣載瞻載止，空碧悠悠：載，語助詞，猶乃也，詩秦風小戎：「載寢載興」，與小雅斯干：「乃寢乃興」同。瞻，仰視也，止，止步也。載瞻載止，言時或瞻視藍空，時或止步幽思也。其時所見，乃悠悠清天，一碧萬頃。自亦清奇之象。載瞻，津逮本作「載行」，言其行而復止，止而復行也。

㈤神出古異，澹不可收：此言清奇之神，實由心存高古，神異凡俗，故能澹而不盡，如不可收也。古異，詩法萃編本作「古心」。

㈥如月之曙，如氣之秋：譬諸於形象，則月之方曙，氣之將秋，正足於狀清奇之神。新月方曙，大地漸趨瑩潔，大氣將秋，雲天逐第相映空明，此清奇之至也。

十七、委曲

登彼太行，翠遶羊腸。杳靄流玉，悠悠花香。

力之於時，聲之於羌。似往已廻，如幽匪藏。

水理漩洑，鵬風翺翔。道不自器，與之圓方。

注釋：

㈠登彼太行，翠遶羊腸：太行，山名，述征記：「太行首始河內，北至幽州，凡八陘。」列子謂之大形，淮南子謂之五行，在今河南、河北、山西省境。羊腸，謂路徑之窄仄盤曲，如羊之腸然，曹操苦寒行：「北上太行山，艱哉何巍巍，羊腸板詰屈，車輪爲之摧。」今山西省境有羊腸板，正以喻山徑之曲折不平也。登彼太行之山，翠繞羊腸之徑，詩境委曲，有以似之。

㈡杳靄流玉，悠悠花香：杳，深冥絕遠也，楚辭九章懷沙：「眴兮杳杳，孔靜幽默。」靄，氣也，氛也。杳靄，言雲氣幽深也。流玉，有二說，一說，流玉猶言流水，李善文選注引尸子：「凡水，其方折者有玉，其圓折者有珠。」顏延年贈王太常詩：「玉水記方流，璇源載圓折。」一說，杳靄飄動，其美如玉色掩映，故謂之流玉。兩說皆可通。杳靄流玉，悠悠花香，皆以幽冥深遠寫委曲之意，蓋靄氛以杳深爲美，花香以悠遠爲上。孫聯奎詩品臆說云：「細玩玉理，殊覺幽深；試嗅花香，果是悠長。」以玉理爲說，亦見佳巧。

㈢力之於時，聲之於羌，楊廷芝詩品淺解云：「凡我之所得舉皆曰力。時，用力之時也。言力之於其用時，輕重低昂，無不因其時之宜然。」又云：「羌，楚人語詞。此作實字用，言其隨意用之，而無不婉轉如意也。如羌無故實，若直用無故實則索然少味，惟用一羌字，便覺曲曲傳神。一說，羌即羌笛之羌，言羌笛之聲曲折盡致也，亦通。」此言力之於時，聲之於羌，皆有委曲以見其妙之意，然委曲亦以自然爲衡，如用力需重則重，需輕則輕，此謂之時也，如奏樂需緩則緩，需急則急，曲盡其妙，亦惟羌聲而已。又，「力之於時」句，有引史記蘇秦列傳：「少府時力，距來者，皆射六百步之外。」以爲「時力」乃弓名，而以弓之彎曲喻詩之委婉，此說不無牽強之嫌。

㈣似往已廻，如幽非藏：再寫委曲之意。其勢似往，細察之，又已廻矣，其態如幽，詳驗之，又可見矣。如是往而復廻，幽而不藏，委曲之意，顯然可見，至若往而無廻，幽而深藏，則一嫌其明，一嫌其隱，委曲之致，安可見哉？

㈤水理漩洑，鵬風翱翔：水理，水紋也。漩，回流，洑，伏流。水理漩洑，言水中波紋左右回旋，上下近伏，詩境之委曲有以似之。鵬風，鵬乃大鳥，大鵬展翅所旋起之風，謂之鵬風，莊子逍遙遊：「有鳥焉，其名爲鵬，背若泰山，翼若垂天之雲，搏扶搖羊角而上者九萬里。」又曰：「風之積也不厚，則其負大翼也無力，故九萬里則風斯在下矣。」鵬風翱翔，言鵬鳥展翼而飛，捲起巨大旋風，旋風急轉而升，其曲折之貌，正足以擬詩境委曲。「搏扶搖羊角而上者九萬里」，成玄英疏：「旋風曲戾，猶如羊角。」

㈥道不自器，與之圓方：論語爲政篇：「君子不器。」包注：「器者，各周其用，至於君子，無所不施。」禮學記：「大道不器。」鄭注：「聖人之道，不如器施於一物。」道不自器，言道不拘於一器之體，一器之用。與之圓方，言與萬物爲圓爲方，予之圓則圓，予之方則方，依自然之勢而轉折，此即委曲亦需出於自然之意。四品彙鈔本，與之作「與時」。楊振綱詩品續解云：「曲有二種，有以折轉爲曲者，有以不肯直下爲曲者，如抽繭絲，愈抽愈有。如剝蕉心，愈剝愈出。又如繩伎飛空，看似隨手牽來，卻又被風颺去，皆曲也。然此行文之曲耳；至於心思之曲，則如『遙知楊柳是門處，似隔芙蓉無路通』，又曰：『祇言花似雪，不悟有香來』，或始信而忽疑，或始疑而忽信，總以不肯直遂，所以爲佳。」

十八、實境

取語甚直，計思匪深。忽逢幽人，如見道心。清澗之曲，碧松之陰，一客荷樵，一客聽琴。情性所至，妙不自尋。遇之自天，泠然希音。

注釋：

㈠取語甚直，計思匪深：甚直，四品彙鈔本作「如直」。計，有策畫謀慮之意。此兩句言詩語之取用甚爲直接，而詩思之構求亦不深隱。此品起首兩句即就詩而論，所謂實境者，此二句已言明之矣。

㈡忽逢幽人，如見道心：幽人，幽隱之人。道心，天道之心，尚書大禹謨：「人心惟危，道心惟微。」幽人深居，實不易逢，道心微妙，亦不易見，今則逢此幽人，見彼道心，躍然如生，此實境也。然而，實境亦非強求可致，故逢幽人則謂之忽逢，見道心則謂之如見，一則見其不可預期，順勢而至，二則見其實中有虛，非泥滯者也，故「忽逢」言其未可久，「如見」言其未必眞，而所逢者幽人，所見者道心，亦見其脫俗超塵之意。

㈢清澗之曲，碧松之陰：清澗，津逮本作「晴澗」，澗，坊本有作「磵」者。澗，說文：「山夾水也。」曲，言曲折隱蔽之處。清澗之曲，碧松之陰，乃清新而實有之境，實境而謂之「曲」，謂之「陰」，此實境有其曲隱之處也。

㈣一客荷樵，一客聽琴：言清澗之曲，碧松之陰，有一客荷樵而過，有一客聽琴而樂。荷樵、聽琴皆是韻事，以荷樵、聽琴之雅士，而置於清澗之畔，碧松之下，亦見其境之實也。此四句即「忽逢幽人」之意。

㈤情性所至，妙不自尋：情性者，發於自然，弗學而能。此言實境之妙，在於情性所至之處即可生境，非由自尋而造也。

㈥遇之自天，泠然希音：泠然，輕妙之貌，莊子逍遙遊：「列子御風而行，泠然善也。」此處借以狀聲音之清越。希音，希微之音，老子：「聽之不聞名曰希，搏之不得名曰微。」河上公注：「無聲曰希，無形曰微。」遇之自天，泠然希音，接上兩句而言，情性之發，妙而不可求，當其與天道自然相遇，則如泠然之希音，似可遇而不可遇，似可求而不可求也。郭紹虞詩品集解言「境雖實而出於虛，非呆實之謂矣。」此品最後四句，或即「如見道心」之意。「忽逢幽人」，以實人實事以見實境，「如見道心」則自形而上之情與道以見實境，乃自虛約以充實者，如是，而實境之諦益明矣。

十九、悲慨

大風捲水，林木爲摧。適苦欲死，招憩不來。

百歲如流，富貴冷灰。大道日喪，若爲雄才。

壯士拂劍，浩然彌哀。蕭蕭落葉，漏雨蒼苔。

注釋：

㈠大風捲水，林木爲摧：大風捲水，言大風掀起巨大狂浪，其狀引人興起悲意，孫聯奎詩品臆說引「風蕭蕭兮易水寒，壯士一去兮不復還」，即喻其悲壯之意。林木爲摧，言大風既能捲水上空，則林木亦爲之摧折，使人不能不爲之慨歎也。

㈡適苦欲死，招憩不來：適，正當其時謂之適。言正當痛苦之極，若不欲生，雖已招喚可以安慰之人，終未能如願到來，其爲悲鬱愈甚矣。憩，息也，詩召南甘棠：「招伯所憩。」適苦欲死句，津逮本作「意苦若死」，四品彙鈔本作「意苦爲死」，他本有作「適苦若死」和「意苦欲死」者，意苦即思意之苦。

㈢百歲如流，富貴冷灰：百年歲月如流水，一去永不回，滿堂富貴今何在？轉眼成冷灰。歲月不饒人，富貴又成空，寧有不慨歎者乎？

㈣大道日喪，若爲雄才：大道，至善可行之道，禮禮運：「大道之行也，天下爲公。」若爲，猶言如何，若爲雄才，即「雄才如何」之意，大道日漸喪失，人心業已不古，雄才大略之人，雖欲振衰起敝，其勢有所不能，徒呼奈何而已。此乃志存聖人之心，目睹大道之衰，不能不有悲慨也。日喪，津逮本作「日往」，往即往而不回之意。

㈤壯士拂劍，浩然彌哀：拂劍，擊劍也。彌，充滿也。壯士擊劍，必是大志未酬，積鬱於心，其為悲哀者更深且遠矣。浩然，坊本有作「泫然」者，其境界不若浩然為大，浩然彌哀方足以比配壯士之拂劍。前言「適苦欲死，招憩不來，百歲如流，富貴冷灰」，乃小我之悲，個人之歎，至若「大道日喪，若為雄才，壯士拂劍，浩然彌哀」者，則為大我之哀，家國之痛也。

㈥蕭蕭落葉，漏雨蒼苔：蕭蕭，寒風之聲，楚辭九歌山鬼：「風颯颯兮木蕭蕭。」蕭蕭落葉，言寒風蕭蕭，落葉紛紛也。漏雨蒼苔，言漏雨不停，蒼苔不盡也。此兩句寫悲慨之境，以終斯篇。「蕭蕭落葉，漏雨蒼苔」，其境雖小，蘊意則遠；首兩句「大風捲水，林木為摧」亦寫悲慨，其境雖壯，而為時則暫，然兩者實互為呼應，此宜審察，即可得之。

二十、形容

絕佇靈素，少廻清眞。如覓水影，如寫陽春。

風雲變態，花草精神。海之波瀾，山之嶙峋。

俱似大道，妙契同塵。離形得似，庶幾斯人。

注釋：

㈠絕佇靈素：絕，極力，盡力之意。佇有期待之意，因期待之久而有積久之意，故亦訓為貯積。

靈，精也，神之精明者稱靈，見詩大雅靈臺傳。素，物之原質樸實無華謂之素。江淹傷友人賦：「倜儻遠度，寂寥靈素。」絕佇靈素，與「虛佇神素」句設意略同，言精神專一，屏氣以待靈素也。

㈡少迴清眞：少，少頃也，孟子萬章篇：「少則洋洋焉。」迴，本作回，回轉也。清，明潔而空虛也，道家以四人天外曰清境，靈寶本元經：「四人天外曰三清境，玉清，太清，上清，亦名三天。」太眞經：「三清之間，各有正位，聖登玉清，眞登上清，仙登太清。」即以清爲空明之境。眞，原意爲仙人變形而登天，以喩眞實無妄之境。李白詩：「右軍本清眞，蕭灑在風塵。」少迴清眞，承上而言，凝其神，佇其素，頃刻之間，清眞之氣已回轉而至矣。

㈢如覓水影，如寫陽春：水波之影，恍惚難覓，陽明之春，神奇難寫也，如欲覓水影，欲寫陽春，則須摒絕雜念，縱其靈思，而後始得清眞之境。以覓水影，寫陽春，釋說「絕佇靈素，少迴清眞」，見形容之妙也。

㈣風雲變態，花草精神：風雲之變態繁瑣，花草之精神幽微，皆有待形容始可得出。變態，指風雲外形之變幻，精神，指花草內在之蘊蓄而言。

㈤海之波瀾，山之嶙峋：大海之波瀾無定，高山之嶙峋不齊，亦有待形容始可得出。此四句言自然景象千變萬化，賴形容之功，方可見其神也。

㈥俱似大道，妙契同塵：大道，至善至好之道。同塵，老子：「和其光，同其塵，湛兮似所存。」言塵灰雖多而可和同無異也。此兩句言自然形象有如大道，其妙實已契合「同塵」之旨意，王弼注老子言：「和其光而不汙其體，同其塵而不渝其德。」則「同塵」之旨意在於雖見其同，但不變易原來本性，不以強求爲是也。

㈦離形得似，庶幾斯人：離形得似，言離棄外在相同之貌，而得內在相似之神，則貌雖已離，而神則已合。此人庶幾得形容之要矣。言形容之極至在於神似，故以大道，同塵擬喻也。

二十一、超詣

匪神之靈，匪機之微。如將白雲，清風與歸。
遠引若至，臨之已非。少有道氣，終與俗違。
亂山喬木，碧苔芳暉。誦之思之，其聲愈希。

注釋：

㈠匪神之靈，匪機之微：神，心神；靈，靈敏也。機，天機；微，微妙也。言超詣之境，非關心神之靈敏，非關天機之微妙，亦即心神雖已靈敏，天機雖已微妙，然猶不足以言超詣之境，超詣較此更爲靈妙也。

㈡如將白雲，清風與歸：將，有扶助之義，詩周南膠木：「福履將之。」箋：「扶助也。」此處，將有「攜」義，言超詣之境，有如攜白雲同行，而清風與之俱歸也。

㈢遠引若至，臨之已非：遠而招引，似將抵臨；近而視之，已非所見，言超詣之妙在於可望而不可即也。臨有二義，一爲臨近之臨，一爲臨摹之臨，取前義則超詣之妙不可即，取後義則超詣之妙不可寫也。若至，說郛本作「莫至」。

㈣少有道氣，終與俗違：少，三十以前謂之少，論語季氏：「少之時，血氣未足。」此兩句言少而有道氣瀰身，終可離俗脫塵，戛然特立，而爲超詣之致也。道氣，津逮本作「道契」，言少時有天道與之契合，故終而與俗違離。

㈤亂山喬木，碧苔芳暉：喬木，津逮本作「高木」。就豪壯處言，亂山峻嶺，喬木深密，正足於狀超詣之境，就纖細處言，碧綠之苔，芳暉映照，亦足於抒超詣之勝也。楊廷芝詩品淺解，芳暉作「方暉」，以爲：「門方故云方暉，沈約咏月詩：『方暉竟戶入，圓影隙中來。』亂山巉巖，超也，而喬木干霄而上，直接長空，則超之至。碧苔亂縷，詣也，而方暉竟戶而入，不留餘地，則詣之極。」足備一家之說。

㈥誦之思之，其聲愈希：之，指超詣之境，言口誦此境，心思此境，其聲漸漸入於希微矣，此見超詣之至，亦總結前言，以爲雖誦之思之，但不可過於拘泥，過於強求，則其聲愈希，而超詣之境愈出矣。

二十二、飄逸

落落欲往，矯矯不群。緱山之鶴，華頂之雲。

高人惠中，令色絪緼。御風蓬葉，汎彼無垠。
如不可執，如將有聞。識者期之，欲得愈分。

注釋：

㈠落落欲往，矯矯不群：落落，不苟合也，後漢書耿弇傳：「常以爲落落難合。」注：「猶疏濶也。」矯矯，高舉貌，漢書敍傳：「賈生矯矯，弱冠登朝。」注：「矯矯，高舉之貌也。」無名氏詩品注釋云：「落落然而欲有所往，矯矯然而不與衆群，此見其獨絕流俗，孤行已意，誠飄灑之天姿也。」

㈡緱山之鶴：緱山，即緱氏山，在今河南省偃師縣南。列仙傳：「周王子喬好吹笙，作鳳鳴，後告其家曰：七月七日待我於緱氏山頭，及期，果乘白鶴，謝時人而去。」鶴已見其飄逸，言緱山之鶴，亦見飄逸之姿也。

㈢華頂之雲：華頂，華山之頂，華山在今陝西省華陰縣南，爲五嶽中之西嶽。雲乃飄灑閒逸之物，言華頂之雲，亦見其舒卷自如。緱山之鶴，華頂之雲，皆寫其落落然欲往，矯矯然不群之貌，南史劉訏傳：「訏與族兄歊，俱履高操，族祖劉孝標爲書稱之曰：訏超超越俗，如天半朱霞，歊矯矯出塵，如雲中白鶴。」即以雲鶴寫飄逸不俗之神也。

㈣高人惠中，令色絪緼：高人，邁俗超凡之人。惠，順也，書舜典：「亮采惠疇。」，即訓爲順。中，心也，史記韓安國傳：「深中寬厚。」令色，即善色，言容顏溫和也。絪緼，指天地之氣周密而升也，易繫辭：「天地絪緼，萬物化醇。」疏：「絪緼，相附著之義，言天地无心，自然得一，唯二氣絪縕共相和會，萬物感之，變化而精醇也。」此言飄逸之人，順心之自然而爲，其容顏溫善，飄飄然如氣之絪縕也。惠中，津逮本作「畫中」，無名氏詩品注釋云：「以清高之人寫入圖畫之中，雖歷年已久，而至今容顏色澤，猶若有一縷之元氣，絪縕摩蕩於其間，觀其態度淩雲，形神欲活，宛然在目，瀟灑出塵，不可想其飄逸乎？」

㈤御風蓬葉，汎彼無垠：御，駕馭也。御風，莊子逍遙遊：「列子御風而行，泠然善也。」蓬葉，蓬草之葉，頗似柳葉，蓬葉輕，隨風而飛，又名飛蓬，商子：「今夫飛蓬，遇飄風而行千里，乘風之勢也。」御風蓬葉，正足於狀其飄忽。汎，浮也。垠，岸也，界也。汎彼無垠，言蓬葉隨風而飄，浮蕩於無垠之天地間也，此即飄也，逸也。

㈥如不可執，如將有聞：執，執持，捕捉。此謂飄逸之境，似乎可聞知其妙，然若欲捕捉之，似又不可執著也。

㈦識者期之，欲得愈分：識者，能審察事物，認識飄逸之境者。期，期待也。有識之士幽閒相期，無識之士深欲得之，而其所得者，愈爲離析矣！此兩句，津逮本作「識者已領，期之愈分。」領，悟會也。皆言飄逸之境出乎自然，無需強求也。楊廷芝詩品淺解云：「識者期之，亦惟是優游漸漬以俟其自化而已，如有心求之，欲得其法於飄逸之中，愈分其心於飄逸之外，愈近而愈遠，化不可爲也。」

二十三、曠達

生者百歲，相去幾何。歡樂苦短，憂愁實多。
何如尊酒，日往烟蘿。花覆茆簷，疎雨相過。
倒酒既盡，杖藜行歌。孰不有古，南山峩峩。

注釋：

㈠生者百歲，相去幾何：相去，指距百歲之期。言人之一生，大約不過百年，百年瞬息而過，於今距百歲之期又有幾何？此「人生苦短」之意。

㈡歡樂苦短，憂愁實多：人生不過百年，百年之中，歡樂得意之日苦其短暫，憂愁失意之時覺其繁多，如此人生，最需曠達，方可排遣。

㈢如何尊酒，日往烟蘿：如何，猶何如，何如攜一尊酒，日往烟蘿之地，昭曠閒適，得其達觀之情乎？前言歡樂苦短，憂愁實多，至此一掃而空矣。烟蘿，烟氣裊繞，蘿草雜生，幽僻之處，雅潔之所也。

㈣花覆茆簷，疎雨相過：茆簷，茅屋之簷，茆即茅也。疎雨，細雨也。花覆茆簷，疎雨相過，此正曠達之境，使人能拋棄俗情。楊廷芝詩品淺解云：「花覆茆簷，瞻物色之華，樂安居之況；疎雨相過，有化機之感，無塵緣之牽，則無一時不樂也。」花覆茆簷，見其密而華，疎雨相過，見其疏而淡，密疏相間，佳境以出。疎雨，孫聯奎詩品臆說解爲「舊雨」之雨，杜甫詩小序：「臥病長安，旅次多雨，尋常車馬之客，舊、雨來，今、雨不來。」俗因謂故交曰舊雨，新交曰今雨，則疎雨指疏離已久之友，偶相過訪，益見其境也。此說雖可通，終非正解。

㈤倒酒既盡，杖藜行歌：前言「如何尊酒」，此時則尊酒倒之已盡，拄以藜杖，且行且歌，曠達之至也。杖藜，以藜莖爲杖，老人執杖而行，謂之杖藜，杜甫詩：「明日看雲還杖藜」。行歌，津逮本作「行過」，非也。

㈥孰不有古，南山峩峩：孰，誰也。古，故也，猶死也。人生自古誰不死，惟南山峩峩，終久長存，言能悟解，其中道理，乃眞能曠達者也。峩峩，文選司馬相如上林賦：「南山峩峩」。注：「高峻貌。」

二十四、流動

若納水輨，如轉丸球。夫豈可道，假體如愚。

荒荒坤軸，悠悠天樞。載要其端，載聞其符。

超超神明，返返冥無。來往千載，是之謂乎？

注釋：

㈠若納水輨，如轉丸珠：輨，轂端之鐵也，朱駿聲說文通訓定聲：「字亦作錧，鐵之裹轂內者曰釭，包轂外者曰輨。」舊制，以堅木爲輪，中空可容軸，曰轂，焦循孟子正義：「蓋車之轉運在軸轂，而輨如環約於轂，軹如筓約於軸，非此，則軸與轂不可以運。」水輨，此處猶言水車。如水輨之納水，如丸珠之轉動，亦流動之貌也。

㈡夫豈可道，假體如愚：接首二句，言流動之妙，豈可道哉！假借形體以識其理，終非聰明之路也。如愚，津逮本作「遺愚」，遺有遺留，給予之義，言流動之妙不可說，故假借形體，以予愚人，藉此而悟也。其意以爲流動之妙，未可拘囿於如轄珠等物之流轉，以其氣象小而有限也，故以下六句皆以天地爲喻。

㈢荒荒坤軸，悠悠天樞：坤軸，猶言地軸。天樞，天之樞機也，易繫辭：「言行君子之樞機。」注：「樞機，制動之主。」疏：「樞，謂戶樞；機，謂弩牙。」荒荒，悠悠，皆廣大深遠之貌。無名氏詩品注釋云：「坤之爲道，亦如車軸之妙於轉也，天之爲道，亦如樞機之善於運也。荒荒然無涯涘者，其坤軸之輸運乎？悠悠然無窮盡者，其天樞之旋轉乎？」天樞，說郛本作「天機」。

㈣載要其端，載聞其符：載，語助詞。要，求得之意；端，本也，端緒也，禮禮器：「居天下之大端矣。」孟子公孫丑：「仁之端也。」聞，聞知之意；符，符應也，史記孝武紀：「賜諸侯白金，以風符應合於天地。」集解：「晉灼曰：符，瑞也。瓚曰：風示諸侯以此符瑞之應。」漢書兒寬傳：「見象日昭，報降符應。」注：「言天顯示景象，白日昭明也，降下符應以報德。」此兩句言詩之流動，一則宜求得天地運轉之端緒，一則宜聞知運轉之符應，故孫聯奎詩品臆說云：「樞軸即流動之端，流動即樞軸之符。」載聞，津逮本作「載同」。

㈤超超神明，返返冥無：超超，超之又超，言其玄妙也。返返，返之又返，言其無盡也。神明者，往來不禁，周流爽利。冥無者，幽寂玄默，窈窈無聲也。孫聯奎詩品臆說云：「神明，流動之妙用；冥無，流動之根本。雖有最超之神明，仍一返之於冥無。總言極力用心，返求根本意。」

㈥來往千載，是之謂乎：言流動既以天地運轉爲象，則其神遷鬼移，不易測知，而其往回輪替，亦無所窒礙也，從空間言，超乎神明之用，返於冥無之體，從時間言，與天地並壽，與日月齊長，此之謂也。

第三章　司空圖《詩品》研究

第一節　詩品淵源探討

司空圖嘗言：「愚爲詩爲文一也，所務得諸己而已，未嘗摭拾前賢之謬論。」（見《表聖文集》卷三〈疑經後述〉），其言誠爲豪語，然吾人探究其論，其源實亦有自，謂爲「摭拾」則非，謂爲「影響」斯亦可矣！

唐代詩家之作，表聖特喜王右丞、韋蘇州，故於其書信中再三言及，其言曰：「右丞、蘇州，趣味澄敻，若清風之出岫（或作：若清沅之貫達，沅或作沇）。」（見《表聖文集》卷一〈與王駕評詩書〉），又曰：「王右丞、韋蘇州，澄澹精緻，格在其中。」（見文集卷二〈與李生論詩書〉），由此可見其所喜者，蓋澄澹之作，亦即超凡脫俗之作也。

是時，適有殷璠集王維、孟浩然、高適、王昌齡等二十四家之什，都爲《河嶽英靈集》，其自序云：「夫文有神采、氣采、情采，有雅體、野體、鄙體、俗體。」而尚神采、雅體，故以「詞秀調雅，意新理愜，在泉爲珠，著壁成繪，一字一句皆出常境」論王維，以「初發通莊，卻尋野徑」說常建，又以「文采豐茸，經緯綿密，半遵雅調，全削凡體」評孟浩然。《河嶽英靈集》不曾選輯杜甫之詩，而以王孟爲宗，則其選集之宗旨與理想亦可見得。

此外，中晚唐時代，復有詩格、詩例著作，此類詩格著作，大抵以講究藝術技巧爲主，一則供士人應舉之需，一則出於釋子之手，重視「意先語後」詩觀，亦重視爲詩之法，前者如徐寅《雅道機要》，後者如齊己《風騷旨格》。然亦多僞託之作。如託於賈島之《三南密旨》，託於白居易之《金針詩格》與《文苑詩格》。此類詩格之著作，價值不大，數書中，唯僧皎然《詩式》出其類拔其萃，其影響司空表聖「詩品」之作蓋多多也。

以上三事，就歷史發展之意義而言，實爲一脈相承詩觀之體現，易言之，即先有王維「韻高氣清，味長意遠」（見《歲寒堂詩話》）之作，而後始有殷璠輯此類作品爲一集之意，既已輯爲一集，則其作用於社會，影響於人心者，不可謂不大矣。是以中唐而有皎然《詩式》零星之論，晚唐則有表聖廣而爲二十四品，既以提示意趣，復圖建立詩境，儼然成一家之言，上闡王維諸家之妙境，下開滄浪、漁洋、隨園諸人以性靈、神韻爲神之說。

實則，上述諸點純出於歷史意識之言，若就《詩品》本身而論，詩品實具有三大特色，一曰形象用語之擬喻，此則《四庫提要》所謂：「各以韻語十二句體貌之」，許印芳〈二十四詩品跋〉所稱：「比物取象，目擊道存」之意。二曰風格之建立與詩境之摹造，司空圖以二十四品說詩之風格，即言詩之風格有二十四類，而每一風格皆以十二句韻語臨摹之，故二十四種風格即二十四種詩境之建造也。

三曰「不著一字盡得風流」之禪思與道學之提倡，講求韻外之致與味外之旨，此乃二十四詩品之中心旨意也。茲以上列三點，探求「詩品」之淵源所自：

一、形象喻詞之淵源

言風格，說詩境，看似容易，實乃難事，如吾人讀某詩，而有「雄渾」之感，如欲以言辭解說「雄渾」之義，確非易事。況夫「風格」與「詩境」者，意會嫌其太玄，言傳必有所拙，蓋有非言語可以釋明者，故不能不「以其所知諭所不知」也。

以譬喻之詞論事，孟子時代已有提倡者：「梁王謂惠子曰：『願先生言事則直言耳，無譬也。』惠子曰：『今有人於此而不知彈者，曰：「彈之狀何若？」應之曰：「彈之狀如彈。」則諭乎？』王曰：『未諭也。』『於是更應之曰：「彈之狀如弓，而以竹爲弦。」則知乎？』王曰：『可知也。』惠子曰：『夫說者，固以其所知諭所不知，而使人之知之，今王曰無譬，則不可也。』」（見《說苑》〈善說篇〉）。惠施以弓之形喻「彈」，亦善於取譬者也，觀其與梁王所言：「今有人於此而不知彈者……」，寧非譬乎？故孫詒讓《墨子閒詁》引《潛夫論》〈釋難篇〉云：「夫譬喻也者，生於直告之不明，故假物之然否以彰之。」

說理需恃譬喻，而詩者言志，歌者永言，皆出乎情性，尤需藉譬喻之詞以狀無窮之妙，《尚書》不云乎：「人心惟危，道心惟微」，非擬喻無以盡其深意也。然而，僅賴譬喻之詞，雖可析釋風格之相異，卻未足於摹造詩境，詩境之再造，依乎言辭之眞切與美感，是以，既比乎物矣，更宜取乎其象。「比物取象」，一則可以深思「物」與「境」之關係，何物與此境既得貌似，又能神合？如是可擇其最爲允當之物，以稱斯境，此求眞也。二則可就此物尋其幽美形象，一以寫其境，二以廣其意，此求美也。能「比物取象」，斯可「目擊道存」，而「思與境偕」矣！故四庫提要謂之爲「體貌之」，體者就內而言，貌者就外而說也。

司空圖明乎此，二十四詩品皆以形象喩詞爲之，偶有說明之句，亦期其靈活圓轉，此又可於表聖〈詩賦〉之贊中鑑之：

知道非詩，詩未爲奇，研昏練爽，戞魄淒肌。
神而不知，知而難狀，揮之八垠，卷之萬象。
河渾沇清，放恣縱橫，濤怒霆蹴，掀鼇倒鯨。
鑱空擢壁，琤冰擲戟，鼓煦呵春，霞溶露滴。
鄰女有嬉，補袖而舞，色絲屢空，續以麻絇。
鼠革丁丁，焮之則穴，蟻聚汲汲，積而成垤。
上有日星，下有風雅，歷詆自是，非吾心也。
（見《文集》卷八）

又如《文集》卷九〈李翰林寫眞贊〉云：

水渾而冰，其中莫瑩，氣澄而幽，萬象一鏡。

躍然烱然，傲睨浮雲，仰公之格，稱公之文。

觀此二贊，可知二十四品寫作方式，實仿「贊」體，《文心雕龍》〈頌讚篇〉云：「讚者，明也，助也。昔虞舜之祀，樂正重贊，蓋唱發之辭也。及益贊於禹，伊陟讚於巫咸，並颺言以明事，嗟嘆以助辭也。」「贊」體之用在於「颺言以明事，嗟嘆以助辭」，以此而視表聖二十四詩品，正符此意。

《文心·頌讚篇》又言：「古來篇體，促而不廣，必結言於四字之句，盤桓乎數韻之辭，約舉以盡情，昭灼以送文，此其體也。」表聖詩品，每品十二句，每句四字，如「雄渾」云：「大用外腓，眞體內充。返虛入渾，積健爲雄。具備萬物，橫絕太空。荒荒油雲，寥寥長風。超以象外，得其環中。持之非強，來之無窮。」而充、雄、空、風、中、窮，皆爲東韻字，兩句一韻，一韻到底，此又詩之特色也。贊之爲體，亦一韻數言而止，故表聖詩品，實沿贊體「颺言以明事，嗟嘆以助辭」之用，與「結言於四字之句，盤桓乎數韻之辭」之體也。舉兩則贊體文字以證：

其一：郭景純〈爾雅圖贊〉

蟲之精絜，可貴惟蟬；潛蛻棄穢，飯露恆鮮；
萬物皆化，人胡不然。　（蟬）

貴有可賤，賤有可珍；嗟彼尺蠖，體此屈伸；
論配龍蛇，見歎聖人。　（尺蠖）

其二：劉勰《文心雕龍》

〈原道篇〉贊曰：道心惟微，神理設教。光采玄聖，炳耀仁孝。龍圖獻禮，龜書呈貌。天文斯觀，民胥以傚。

〈序志篇〉贊曰：生也有涯，無涯惟智。逐物實難，憑性良易。傲岸泉石，咀嚼文義。文果載心，余心有寄。

贊之體用若是，然其用語則非一以形象喻詞爲主，故表聖二十四詩品及其詩賦等贊體，時見形象之詞，自有其淵源。形象擬喻之應用於品評之道，最早見諸《世說新語》，《世說新語》〈容止篇〉云：「嵇叔夜之爲人也，巖巖如孤松之獨立，其醉也傀俄如玉山之將崩。」是乃山濤之語，盛讚嵇康挺拔之姿也，言「孤松之獨立」，言「玉山之將崩」，正用以釋說「巖巖」「傀俄」抽象之義，此形象擬喻用於品題之濫觴也。

其後始有用於文學評論者，如鍾嶸《詩品》卷中，引湯惠休言曰：「謝詩如芙蓉出水，顏如錯采鏤金。」則以簡易形象，臨摹謝靈運與顏延之二人相異處，彷彿可見。又《南史》卷三十四顏延之本傳，言顏延之嘗問鮑照，已詩與謝靈運詩之優劣，鮑照云：「謝五言如初發芙蓉，自然可愛，君詩若鋪錦列繡，亦雕繢滿眼。」（宋黃徹《䂬溪詩話》亦記其事），則其優劣亦由形象見得。再如《續世說》文學篇，謝眺引「好詩圓美流轉如彈丸」之語，贊王筠之詩，即以彈丸之圓美流轉狀詩境圓美流轉也。魏晉六朝之人，已漸行此風矣！

初唐之時，張說以品評之擬喩法，敍論當世詩人之文，更廣其體，其言曰：

楊盈川文思如懸河注水，酌之不竭。

李嶠、崔融，薛稷，宋之問之文，如良金美玉，無施不可。

富嘉謩之文，如孤峯絕岸，壁立萬仞，濃雲鬱興，震雷俱發，誠可畏也，若施於廊廟則駭矣。

閻朝隱之文，如麗服靚粧，燕歌趙舞，觀者忘疲，若類之風騷，則罪人矣。

韓休之文，乃大羹旨酒，有典則而薄於滋味。

許景先之文，如豐肌膩理，雖穠華可愛，而微少風骨。

張九齡之文，如輕縑素練，實濟時用，而微窘邊幅。

王翰之文，如瓊杯玉斝，雖爛然可珍，而反有玷缺。

（見《舊唐書》〈文苑楊炯傳〉）

張說之評語，如「懸河注水，酌之不竭」，如「孤峯絕岸，壁立萬仞」，奇趣突出，佳語如湧，已有可見之規模，至乎中唐皇甫湜〈諭業〉一文，更廣而大之，其語詞之富麗，玄想之遠颺，已非張說所可比擬，然其直接仿學張說議評，當亦無可置疑，以其文中嘗言：「當朝之作，則燕公（按張說曾封燕國公）悉以評之，自燕公已降，試爲子論之。」似有「續作」之意。

最可稱述者，皇甫湜已深知比喩之詞最能曲盡爲文妙境，故題其文曰：〈諭業〉，而其首句即云：「夫比文之流，其來尙矣。」茲錄其文如次：

夫比文之流，其來尚矣！自六經子史，至於近代之作，無不備詳。當朝之作，則燕公悉以評之，自燕公以降，試為子論之：

燕公之文，如楩木枏枝，締構大厦，上棟下宇，孕育氣象，可燮陰陽而閱寒暑，坐天子而朝群后。

許公之文，如應鐘鼖鼓，笙簧錞磬，崇牙樹羽，考以宮縣，可以奉神明，享宗廟。

李北海之文，如赤羽玄甲，延亙平野，如雲如風，有貙有虎，闐然鼓之，吁可畏也。

賈常侍之文，如高冠華簪，曳裾鳴玉，立於廊廟，非法不言，可以望為羽儀，資以道義。

李員外之文，則如金轝玉輦，雕龍綵鳳，外雖丹青可掬，內亦體骨不肌。

獨孤尚書之文，如危峯絕壁，穿倚霄漢，長松怪石，傾倒谿壑；然而略無和暢，雅德者避之。

楊崖州之文，如長橋新構，鐵騎夜渡，雄震威厲，動心駭耳；然而鼓作多容，君子所慎。

權文公之文，如朱門大第，而氣勢宏敞，廊無廩廐，戶牖悉周；然而不能有新規勝概，令人竦觀。

韓吏部之文，如長江大注，千里一道，衝飇激浪，汙流不滯；然而施於灌溉，或爽於用。

李襄陽之文，如燕市夜鴻，華亭曉鶴，嘹唳亦足驚聽；然而才力偕鮮，悠然高遠。

故友沈諮議之文，則隼擊鷹揚，滅沒空碧，崇蘭繁榮，曜英揚蕤，雖迅舉秀擢，而能沛艾絕景。

其他握珠璣，奮組綉者，不可一二而紀矣。若數公者，或傳符於玄宰，或受命於神工，或鳳翥詞林，或虎踞文苑，或抗轡荀孟，攘袂班揚，皆一時之豪彥，筆硯之麟鳳。

（見《皇甫持正文集》卷一）

皇甫湜爲「韓門」子弟，韓愈詩風一以冷僻奇險爲尙，如「南山詩」以「或」字爲句首，連續五十一次，節引數句以見一斑：「……或妥若弭伏，或竦若驚雊，或散若瓦解，或赴若輻湊，或翩若船遊，或決若馬驟……」，至其品評當代詩人，自亦不落窠臼，獨發盤空硬語，而以形象之詞擬喻，如：

君詩多態度，靄靄春空雲，東野動驚俗，天葩吐奇芬，張籍學古談，軒鶴避雞群。　醉贈張秘書。

有窮者孟郊，受材實雄驁，冥觀洞古今，象外逐幽好，橫空盤硬語，妥貼力排奡。　薦士。

蛟龍弄角牙，造次欲手攬，衆鬼囚大幽，下覷襲元窅。——送無本師歸范陽。

想見施手時，巨刃磨天揚，崖垠劃崩豁，乾坤擺雷硠。——調張籍。（以上詩例俱見《韓昌黎全集》）

韓愈既崇尙奇崛，故有皇甫湜「諭業」專文之出，韓愈零星發論，張說，皇甫湜則彙集成章，顯示中唐時代，以形象化擬喻之詞評論詩文、人品，業已流行成風，故與表聖詩品關係最爲密切之皎然《詩式》，隨處可見出人意表之喻，略舉《詩式》條文於下，亦足以見其啓廸《詩品》之功：

修江耿耿，萬里無波。——明勢。

其道如黃鶴臨風，貌逸神王，杳不可羈。——跌宕格越俗品。

其道如楚有接輿，魯有原壤，外示驚俗之貌，內藏達人之度。——跌宕格駭俗品。

此道如夏姬當壚，似蕩而貞，采吳楚之風，雖俗而正。——淈沒格淡俗品。

其華豔如百葉芙蓉，菡萏照水，其體裁如龍行虎步，氣逸情高，脫若思來景遏，其勢中斷，亦有如寒松病枝，風擺半折。——品藻。

洎乎晚唐，唯美詩風大興，一以幽雅華靡爲是，即用以品評之文辭，亦尚雅麗，故杜牧序《李賀歌詩集》，因形象之詞以論其詩，其詞美甚：

雲煙綿聯，不足爲其態也；水之迢迢，不足爲其情也；春之盎盎，不足爲其和也；秋之明潔，不足爲其格也；風檣陣馬，不足爲其勇也；瓦棺篆鼎，不足爲其古也；時花美女，不足爲其色也；荒園陊殿，梗莽邱隴，不足爲其恨怨悲愁也；鯨呿鰲擲，牛鬼蛇神，不足爲其虛荒誕幻也。

表聖生當晚唐之世，自亦受其影響，二十四詩品乃能以清淨優美之詞，摹擬詩境，故形象喻詞之功，至表聖而集其大成，燦放異彩，爲詩品之一大特色也。舉其「典雅」一品足於見其成就，典雅云：「玉壺買春，賞雨茅屋，坐中佳士，左右脩竹。白雲初晴，幽鳥相逐，眠琴綠陰，上有飛瀑。落花無言，人淡如菊，書之歲華，其曰可讀。」析究此類形象喻詞，有以人物爲喻，如坐中佳士；有以植物爲喻，如落花無言；有以動物爲喻，如幽鳥相逐；有以器物爲喻，如眠琴綠陰；有以景物爲喻，如白雲初晴。錯綜成文，典雅清麗，如非表聖，無以臻之。

二、風格分類之淵源

詩品二十四，即以風格之相異別之，風格之所以相異，因詩人之秉賦、學養、環境而致殊異，劉勰《文心雕龍》體性篇，即爲論風格之專文，於此頗有創義，其言曰：「夫情動而言形，理發而文見，蓋沿隱以至顯，因內而符外者也。然才有庸儁，氣有剛柔，學有淺深，習有雅鄭，並情性所鑠，陶染所凝，是以筆區雲譎，文苑波詭者矣。故辭理庸儁，莫能翻其才；風趣剛柔，寧或改其氣；事義淺深，未聞乖其學；體式雅鄭，鮮有反其習；各師成心，其異如面。」彥和以爲情理內隱，則言文外顯，雖然才氣之庸儁剛柔，承自天定，然而，積其所學，愼其所習，亦可爲之輔助，如是，風格之類益廣矣！故彥和「總其歸塗，數窮八體」：一曰典雅，二曰遠奧，三曰精約，四曰顯附，五曰繁縟，六曰壯麗，七曰新奇，八曰輕靡。此風格分類之始也。

《文心雕龍》既分文體爲八，繼而闡其義界云：

典雅者，鎔式經誥，方軌儒門者也。
遠奧者，複采曲文，經理玄宗者也。
精約者，覈字省句，剖析毫釐者也。
顯附者，辭直義暢，切理厭心者也。
繁縟者，博喻釀采，煒燁枝派者也。
壯麗者，高論宏裁，卓爍異采者也。
新奇者，擯古競今，危側趣詭者也。

輕靡者，浮文弱植，縹渺附俗者也。

故雅與奇反，奧與顯殊，繁與約舛，壯與輕乖，文辭根葉，苑囿其中矣。

此八體顯然未直接影響表聖《詩品》之作，觀其解說之文字，截然兩式，即可知其血緣甚遠也。然文心〈體性篇〉爲風格分類之最早者，啓廸之功，實不可沒。玆列八體與二十四品之相通者如次：

(1)典雅體——高古，典雅。

(2)遠奧體——沈著，委曲。

(3)精約體——洗鍊，含蓄。

(4)顯附體——實境，曠達。

(5)繁縟體——纖穠，縝密。

(6)壯麗體——雄渾，勁健，綺麗，豪放。

(7)新奇體——清奇。（未盡相當）

(8)輕靡體——纖穠。（未盡相當）

上表實非定論，未盡相當之處亦多，然就演變之趨向而言，可由其相通之目，與表聖獨創之品，探究彥和與表聖詩觀之同異何在，如二者同有「典雅」「壯麗」之目，表聖則特立「冲淡」「超詣」「流動」諸品，其同異之處正可依此索得。

黃季剛《文心雕龍扎記》言：「彥和之意，八體並陳，文狀不同，而皆能成體，了無輕重之見存於其間，下文云：雅與奇反，奧與顯殊，繁與約舛，壯與輕乖。然此處文例，未嘗依其次第，故知塗轍雖異，樞機實同，略舉畛封，本無軒輊也。」其意以爲彥和八體，乃風格之殊異，非高下之區別也。有人以體性篇取十二人證八體，每體二人，獨不爲「新奇」「輕靡」二體作證者，意貶之也，實則，新奇輕靡爲當時習氣，無需舉證，義自可明，故彥和略而不言。彥和八體，既無軒輊之分，表聖詩品，亦非別其差等之意，此非風格分類之相同意願乎！

文心雕龍之後，有空海和尚（西元七七四年——八三五年）輯錄《文鏡秘府論》一書，其卷四〈論體篇〉亦因文體之異，歸劃爲六事：

凡製作之士，祖述多門，人心不同，文體各異。較而言之，有博雅焉，有清典焉，有綺豔焉，有宏壯焉，有要約焉，有切至焉。

夫模範經誥，褒述功業，淵乎不測，詳哉有閑，博雅之裁也。敷演情志，宣昭德音，植義必明，結言唯正，清典之致也。體其淑姿，因其壯觀，文章交映，光彩傍發，綺豔之則也。魁張奇偉，闡耀威靈，縱氣凌人，揚聲駭物，宏壯之道也。指事述心，斷辭趣理，微而能顯，少而斯洽，要約之旨也。舒陳哀憤，獻納約戒，言唯折中，情必曲盡，切至之功也。

此六體較諸彥和八體，更爲精簡，似爲祖襲文心之作，如博雅、清典二體，乃文心「典雅」之規模；綺豔，宏壯二體，非文心「壯麗」之蘊意乎？而要約、切至二體，又文心「精約」之法式也。然此六體雖與文心三體相通，卻又較此三體更爲精細，如精約一體，有「要約」與之相當，復出「切至」

二字爲之相輔，愈見其息息相關之處。

彥和〈體性篇〉八體，與空海和尚所錄「論體篇」六事，大約以文爲其論列對象，故《文鏡秘府論》又云：「至如稱博雅則頌論爲其標，語清典則銘讚居其極，陳綺豔則詩賦表其華，敍宏壯則詔檄振其響，論要約則表啓擅其能，言切至則箴誄得其實。」雖然同爲講求風格分類之作，其影響於表聖詩品者實微乎其微，故曰：有啓廸之功，無影響之力也。直接而實質影響《詩品》風格分類者，當屬中唐釋皎然《詩式》一書。

陳振孫《直齋書錄解題》言詩式「以十九字括詩之體」，特提舉辨體十九字，正見十九字爲《詩式》一書之中心思想所在，皎然「辨體一十九字」條下亦云：「其一十九字，括文章德體風味盡矣。」茲列十九體於下：

高：風韻切暢曰高。（切暢一作朗暢）。

逸：體格閒放曰逸。（閒放一作瀾放）。

貞：放詞正直曰貞。

忠：臨危不變曰忠。

節：持節不改曰節。（持節一作持操）。

志：立志不改曰志。（一作立性不放曰志）。

氣：風情耿耿曰氣。（耿耿一作耿介）。

情：緣情不盡曰情。（緣情一作緣境）。

思：氣多含蓄曰思。

德：詞溫而正曰德。

誡：檢束防閑曰誡。

閑：情性疎野曰閑。

達：心迹曠誕曰達。

悲：傷甚曰悲。

怨：詞理悽切曰怨。

意：立言曰意。（一作立言盤泊曰意）。

力：體裁勁健曰力。

靜：非如松風不動，林狖未鳴，乃謂意中之靜。（一本但云：意中之靜曰靜）。

遠：非謂淼淼望水，杳杳看山，乃謂意中之遠。（一本但云：意中之遠曰遠）。

皎然詩觀以高逸爲其最高境界，故《詩式》云：「夫詩人之思初發，取境偏高，則一首舉體便高，取境偏逸，則一首舉體便逸。」故辨體一十九字，以「高」「逸」爲最先兩體。高逸既爲皎然詩觀所重，其影響於表聖詩品者亦多，茲比較高逸等十九體，與二十四詩品同通之處，列表以明之：

高（風韻朗暢）——高古。

逸（體格閒放）——飄逸，超詣。

氣（風情耿耿）——雄渾，豪放。

情（緣境不盡）——委曲。

思（氣多含蓄）——含蓄。

閒（情性疎野）——疎野。

達（心迹曠誕）——曠達，豪放。

悲（傷甚）——悲慨。

怨（詞理悽切）——悲慨。

力（體裁勁健）——勁健。

知此十九體之分類，予二十四品直接影響之力，如高古、飄逸、含蓄、疎野、曠達、勁健諸品，其名目之相襲顯而易見。離此十九體，再審視《詩式》與《詩品》之同通，猶有多處：

如詩式「明勢」條，云「縈回盤礴，千變萬態」，「極天高峙，崒焉不群」，「修江耿耿，萬里無波」，「詩有四深」言「氣象氤氳」「意度盤礴」，皆啓發「雄渾」「豪放」兩品之意。

如詩式「詩有四不」，有「氣高而不怒」「力勁而不露」之語，即高古、勁健兩品也。「詩有四深」言「用事不直」，亦有「委曲」之意。

如詩式「詩有四離」，云：「雖尚高逸而離迂遠，雖欲飛動而離輕浮」，此尚「高古」「飄逸」

如「詩有六迷」云：「以虛誕而爲高古，以緩慢而爲冲淡」亦可視爲重「高古」「冲淡」之意。又如「詩有七至」，其三爲「至麗而自然」；「詩有七得」，其二高古，其三典麗，其四風流，其五精神，皆可與詩品之「自然」「典雅」「綺麗」「高古」「流動」「精神」諸品相會通。

至此可言，表聖二十四詩品之分類，雖多創義，然受皎然《詩式》之影響，可謂至深且大！

三、以禪喩詩之淵源

禪之與詩結合，當自魏晉六朝始，迨有成就，則須待乎王維之出，舊唐書王維本傳云：「兄弟俱奉佛，在京師日飯十數僧，以玄談爲樂。齋中無所有，唯茶鐺藥臼經案經床而已。退朝之後，焚香獨坐，以禪講爲事。」又《唐詩記事》亦載韋應物：「性高潔，所在焚香而坐。」皆可見王韋兩家澄澹之風，實與禪誦相關，故後人稱王維爲「詩佛」，以其詩境高遠而有禪境也。表聖獨尊王韋二家，王韋二家既素喜佛事，故表聖詩品一以禪道爲契悟之機，如論高古，則云：「虛佇神素，脫然畦封，黃唐在獨，落落玄宗。」論自然則云：「俱道適往，著手成春。」論超詣則云：「少有道契，終與俗違。」實有以禪喩詩之意。

究其淵源，只宜溯至皎然詩式，皎然之前未有以禪喩詩者。易下繫辭曾云：「精義入神，以致用也。」劉勰《文心雕龍》〈宗經篇〉準此而言「入神致用」，〈神思篇〉則云：「寂然凝慮，思接千載，悄焉動容，視通萬里……故思里爲妙，神與物遊。」皆有意以「神」論文，至乎盛唐杜甫，復以「神」說詩，較重要之論如「讀書破萬卷，下筆如有神」（奉贈韋左丈丞二十二韻），如「感激時將晚，蒼茫興有神」（上韋左相二十韻），又如「靜者心多妙，先生藝絕倫，草書何太苦，詩興不無神」（寄張十二山人彪三十韻），考乎其意，皆視「神」爲詩之極致，然猶未以禪論詩。至皎然之時，以釋子而爲詩，則其深受禪學影響者明矣。

《詩式》中序云：「貞元初，予與二三子居東溪草堂，每相謂曰：世事喧喧，非禪者之意，假使有宣尼之博識，胥臣之多聞，終朝日前，矜道侈義，適足以擾我眞性；豈若孤杉片雲，禪坐相對，無言而道合，至靜而性同哉！」此皎然習禪之心，求禪者之意也。

皎然《詩式》之作，爲「使無天機者坐致天機」，此即「禪者之意」，故《詩式》全書，提舉品式，顯揚方法，以求取情性之自然，達及「後於語，先於意」之成就，《詩式》總序云：「夫詩者，衆妙之華實，六經之菁英，雖非聖功，妙均於聖。彼天地日月光化之淵奧，鬼神之微冥，精思一搜，萬象不能藏其巧。其作用也，放意須險，定局須難，雖取由我衷，而得若神表。」其中「放意須險，定局須難」即「禪法」之應用，「取由我衷，得若神表」則爲「禪境」之獲得，故其下又云：「天眞挺拔之句，與造化爭衡，可以意會，難以言狀，非作者不能知也。」至此皎然已提出「可以意會，難以言狀」之玄學觀，此即以禪喻詩之意。

《詩式》卷一「重意詩例」云：「兩重意以上，皆文外之旨，若遇高手，如康樂公，覽而察之，但見情性，不睹文字，蓋詩道之極也。向使此道，尊之於儒，則冠六經之首，貴之於道，則居衆妙之門，精之於釋，則徹空王之奥。」此處提出「但見情性，不睹文字」之詩觀，已漸啓表聖詩品之創作。《詩式》卷二又云：「池塘生春草，情在言外，明月照積雪，旨冥句中，風力雖齊，取興各別。」皎然「情在言外，旨冥句中」之論一出，其全篇之中心思想大抵可見矣，此即以禪喻詩之詩論濫觴。

釋皎然以爲「詩人造極之旨，必在神詣。」（《詩式》卷五），此一主張雖非完整之論，但已影響表聖詩觀甚深，詩品追求禪境之玄妙，論詩之書中，復以「韻外之致，味外之旨」爲高，求其淵源，則來自皎然「神詣」之說也。

第二節　詩品體系探討

詩品之數，二十有四，然此二十四品之間，存有何種體系，其前後關係如何？古來爭者論者已多，至今未有一家識其脈絡所在，而能一以貫之者，此非二十四詩品難以索解也，蓋以各家論說，多雜已意，終至違失原旨而不覺。然則，各家之說雖有不當，亦有足以發表聖之意，開後學之心者，故爲之論述如次，並就《詩品》原書索其思想脈絡，期能多方探悉詩品之妙，洞見表聖之志也。

先論楊廷芝〈二十四詩品小序〉，楊廷芝依表聖原有次序，順次釋其先後關係，其言曰：

予總觀統論，默會深思，竊以爲兼體用，該內外，故以雄渾先之。有不可以迹象求者，則曰冲淡；亦有可以色相見者，則曰纖穠，不沈著，不高古，則雖沖淡、纖穠，猶非妙品。出之典雅，加之洗鍊，勁健不過乎質，綺麗不過乎文，無往不歸於自然。含蓄不盡，則茹古而涵今；豪放無邊，則空天而廓宇。品亦妙矣，品妙而斯爲極品。

夫品固出於性情，而妙尤發於精神。縝密則宜重宜嚴，疎野則亦鬆亦活。清奇而不至於凝滯，委曲不容以徑直，要之無非實境也。境值天下之變，不妨極於悲慨；境處天下之賾，亦有以擬諸形容。超則軼乎其前，詣則絕乎其後；飄則高下何定，逸則閒散自如。曠觀天地之寬，達識古今之變，無美不臻，而復以流動終焉。品斯妙極。品斯神化矣。

楊廷芝有意架構詩品體系，故以己意揣度之，然牽強之處，所在皆是，如云「兼體用，該內外，故以雄渾先之」，其意爲雄渾以後諸品皆不兼體內，不該內外乎？此其不當者一也。次云「有不可以迹象求者，則曰沖淡；亦有可以色相見者，則曰纖穠」，實則，沖淡與纖穠不以外表之迹象色相而分，故沖淡則有如惠風之荏苒在衣，亦有如閱音之在修竹，此乃有迹象之可求者，而纖穠則云「乘之愈往，識之愈眞，如將不盡，與古爲新」，此非以色相見也，蓋沖淡者要其情思久遠，纖穠者求其意旨深濃，固不必以迹象之隱顯區分之，此其不當者二也。次云「不沈著，不高古，則雖沖淡、纖穠，猶非妙品。」然而，表聖本意當非如此，沖淡、纖穠二品本不須俟諸沈著、高古，當可抵至妙境，一品自有一品之妙，無待他品之相輔也，此其不當者三也。以下諸語，率皆如此，可不一一評之。

然楊氏之最大缺點，在於將二十四詩品區分爲數個小體，彷彿有脈絡可尋，按之以探表聖之意，又覺其非矣，如云「勁健不過乎質，綺麗不過乎文，無往不歸於自然。」則此三品自成一組，勁健品與綺麗品相對，而以自然品統攝之，繪圖表示則爲：

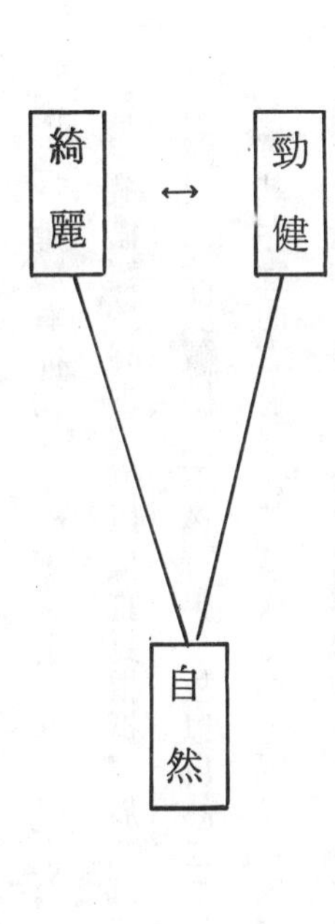

又言：「清奇而不至於凝滯，委曲而不容以徑直，要之無非實境也。境值天下之變，不妨極以悲慨，境處天下之賾，亦有以擬諸形容。」

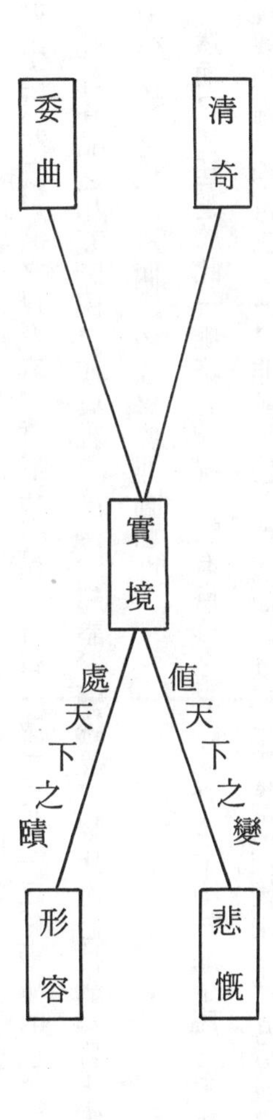

前者列「勁健」與「綺麗」相對，非爲確解，繼而歸納於「自然」，雖合表聖詩品之中心旨意，然其他諸品亦莫不以自然爲其歸向，則其體系之建構不可謂爲確切矣。後者取「實境」救「清奇」與

「委曲」之弊，復就「境」之演變而有「悲慨」「形容」兩品，視「實境」為此五品之關鍵，無異乎重「實境」而輕四品，此非表聖作「詩品」之心，況且，「實境」以「情性所至，妙不自尋」為上，雖可出之以悲慨，濟之以形容，實無法樹為「清奇」或「委曲」之終極鵠的也。

此外各品之相互關係，如典雅、洗鍊、超詣、飄逸等，楊氏確已技窮，皆未實際給予安排，足見其小組分類之法，乃偶然巧合，皆非圖意也。

然而，楊廷芝於此一脈絡之發現，頗有自珍之意，故〈二十四詩品小序〉中雖已細說，復於〈詩品淺解總論〉中再三論敍，非僅此也，更進而劃分二十四品為前後兩段，此分段之意，前文已隱約可見，〈詩品淺解總論〉則率直明說，據此以釋其分類而貫串之見，再錄其文於後，以資比較：

二十四目前後平分兩段，一則言在箇中，一則神遊象外。首以雄渾起，統冒諸品，是無極而太極也。雄渾有從物之未生處說者，冲淡是也；有從物之已生處說者，纖穠是也。第冲淡難於沈著，纖穠難於高古，惟以典雅見根抵，於洗鍊見功夫；進以勁健，而沈著高古不待言矣；見以綺麗，而冲淡纖穠又不必言矣。故以自然二字總束之。又從自然申足一筆，一言其萬殊而一本，一言其左宜而右有，含蓄豪放，申上即以起下，但此非皮毛邊事，故以精神提及。精神周到則縝密，精神活潑則疎野，而縝密恐失之板重，疎野恐失之徑直，故又轉出清奇委曲二筆，而以實境束之。境何往不實，指出悲慨形容，正見品無時不然，亦無物不有。申上實境，即綰上精神，斯亦完密之至矣。後用推原之筆，寫出超詣飄逸曠達三項，品直造於化境，而悲慨不足以介意，形容非僅以形似，收本段亦收上段，蓋至此而變動不居，周流六虛，流動之妙，與天地同悠久，太極本無極也。詩品所爲以雄渾起，以流動結也。

此文所論體系較前完整，前十二品自成體系，後十二品另成一體系，前段以「自然」爲貫串轉折之品，後段則以「實境」擔此重責，兩組之間又以「精神」爲其關鍵，乃成就詩品二十四則之整體性，同時，首以雄渾統冒，是無極而太極，終以流動收結，則太極本無極也，首尾又能呼應，就體系而言，有其架構之功，試以簡易之圖釋明之。（見下頁）

究其缺失，猶在各品之關係未可確立，而於二十四品中有所倚重，如言「沖淡難於沈著，纖穠難於高古」，又如以「自然」「實境」爲之總束，皆非的當。此外，「渾分兩宜」，以爲「一則言在箇中，一則神遊象外」，實乃強作解人之意，何以言前十二品言在箇中，後十二品則神遊象外？試細審之，似未可如斯截然而割也。實不如視「言在箇中，神遊象外」八字，爲表聖詩品之中心思想適切。

楊廷芝以「雄渾」爲「無極而太極」，以「流動」爲「太極本無極」，兩相呼應，頭尾通貫。持此說者，尙有孫聯奎之《詩品臆說》，其書末「附注」云：「總通編言，雄渾爲流動之端，流動爲雄渾之符，中間諸品，則皆雄渾之所生，流動之所行也。不求其端，而但期流動，其文與詩有不落空滑者幾希。一篇文字亦似小天地，人亦載要其端可矣。」則以首尾兩品含括其餘二十二品，且其意以爲「雄渾」較之「流動」更爲重要，故不求其端，但期流動者，必落空滑。然而，「雄渾」一品何可涵蓋其後二十二品？「流動」又如何行於諸品之間？孫聯奎未有一語言及，知其所見者、所言者，亦未

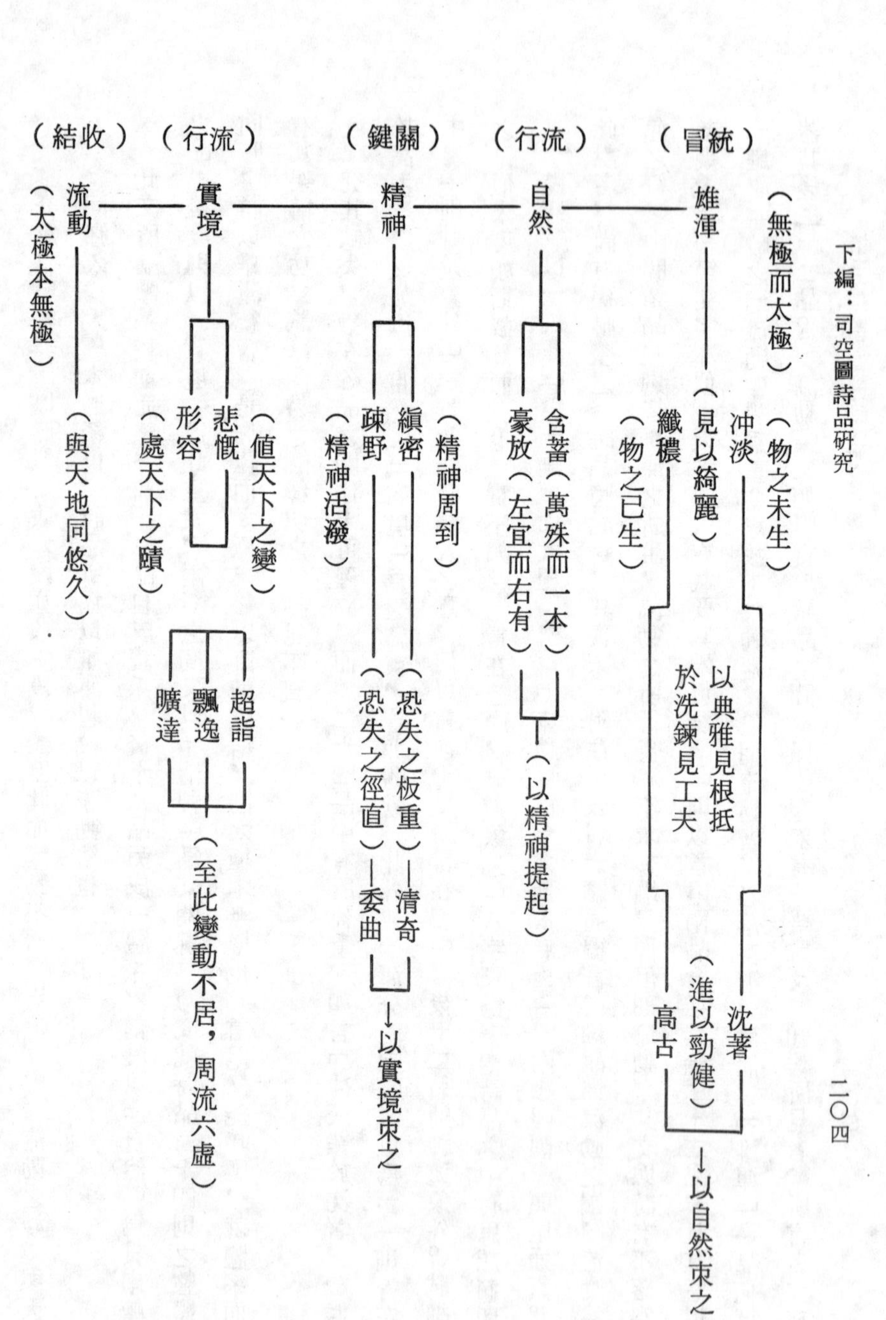
（冒統）
雄渾
（無極而太極）
沖淡
（物之未生）
（見以綺麗）
纖穠
（物之已生）
以典雅見根抵
於洗鍊見工夫
沈著
（進以勁健）
高古
→以自然束之
（行流）
自然
含蓄（萬殊而一本）
豪放（左宜而右有）
（以精神提起）
（鍵關）
精神
（精神周到）
縝密
疏野
（精神活潑）
（恐失之板重）
（恐失之徑直）
清奇
委曲
→以實境束之
（行流）
實境
（値天下之變）
悲慨
形容
（處天下之賾）
超詣
飄逸
曠達
（至此變動不居，周流六虛）
（結收）
流動
（太極本無極）
（與天地同悠久）

爲得當。

分析《詩品》體系，較能言之成理者，當屬楊振綱之《詩品續解》，楊振綱以爲「詩品者，品詩也，本屬錯舉，原無次第，然細按之，卻有脈絡可尋，故綴數言，繫之篇首。雖無當於作者之意，庶有裨於學者之心。」其初既有「本屬錯舉，原無次第」之先見，其後復有「無當於作者之意」之自知，所明如此，雖無大得，亦無大礙矣。

茲依詩品原目，輯列其言於下：

(1)雄渾：詩文之道，或代聖賢立言，或自抒其懷抱，總要見得到，說得出，務使健不可撓，牢不可破，才可當不朽之一，故先之以雄渾。

(2)冲淡：雄渾矣，又恐雄過於猛，渾流爲濁。惟猛惟濁，詩之棄也，故進之以冲淡。

(3)纖穠：冲淡矣，又恐絕無彩色，流入枯槁一路，則冲而漠，淡而厭矣，何以奪人心目，故進之以纖穠。

(4)沈著：纖則易至於冗，穠則或傷於肥，此輕浮之弊所由滋也，故進之以沈著。

(5)高古：然而過於沈著，則未必能高華，一於沈著又未必不俚俗，故進之以高古。

(6)典雅：高古矣，而或任質以爲高，簡率以爲古，非極則也，故必進之以典雅。

(7)洗鍊：或者搬演書籍，專務采色，使閱者如游骨董舖，搭彩市，非不煊爛華美，而陳垢錯雜，絕難悅目，豈典雅哉！故進之以洗鍊。

(8)勁健：然或洗鍊太過，骨肉並銷，則體弱不足起其文，故進之以勁健。

(9)綺麗：顧勁則多粗，健則易豪，故進之以綺麗。

(10)自然：猶恐過於雕琢，淪入澀滯一途，縱使雕繢滿目，終如翦綵爲花，而生氣亡矣，故進之以自然。

(11)含蓄：詩至自然，進乎技矣，或者矢口而道，率意而陳，自詡天機，絕無餘味，則又不能強人把玩也，故進之以含蓄。

(12)豪放：含蓄矣，或如鄭五歇後，割裂不成文理，或如壽陵學步，尺寸不敢挪易，則又奚貴乎含蓄哉！故進之豪放。

(13)精神：然必有眞意以行之，則豪者不至於傲，放者不至於蕩矣，故進之以精神。

(14)縝密：使第趁精神之所至，一往莫禦，則疎節脫目亦復不少，故進之以縝密。

(15)疎野：然或單知縝密，字字稱量，又恐過於拘束，無一點眞率意，則生氣竭矣，故進之以疎野。

(16)清奇：第疎或雜亂而無章，野或庸俗而少姿，則又奚以詩爲哉！故進之以清奇。

(17)委曲：顧清則易竭，奇則多直，如履十家縣，足未及東郭，目已及西郭，有何意味？故進之以委曲。

(18)實境：反復馳騁，固是作家勝境，或者東塗西抹，刺刺不休，則滿紙浮言矣，故進之以實境。

(19)悲慨：然貪寫實境，毫無寄託，亦不過如窖烘花，而有色無香，縱能不浮不泛，亦難以勸以懲，故進之以悲慨。

⒇形容：若徒知悲慨，專向題外生情，則有神無貌，不免肯綮未經，盧山面目，畢竟何處捉摸也，故進之以形容。

㉑超詣：然苦心形容，易至侵滯，何能獨立物表，與化爲徒哉！故進之以超詣。

㉒飄逸：玄神既超，風致或乏，如釋迦如來，坐寶蓮台，講大乘法，非不超超玄著，而聽者迷而思臥，佐以天女散花，纓絡寶蓋，隨風搖蕩，則心悅神怡，翩翩有凌雲之意矣，故進之以飄逸。

㉓曠達：既已飄逸，然或局於一隅，貪看鴛鴦戲水，忘卻波浪接天，是第見羚羊掛角，卻未知香象渡河也。故必貝宮珠闕，出沒變幻，花雨香林，頃刻有無，齊天地於一瞬，等嵩華於秋毫，乃爲詩家之極致也，故進之以曠達。

㉔流動：其在易曰：變動不居，周流六虛，天地之化，逝者如斯，蓋必具此境界，乃爲神乎其技，而詩之能事畢矣，故終之以流動。

楊振綱綴連二十四品，彷彿頗具體系，然其所依以建立此種體系者，即：詩品各品雖已分別摹寫詩境，然「過猶不及」，恐其失於偏逸，囿於一隅，故「進之以」某品，以救其弊，而謀其和也。此在表聖寫作之初，或有此意，如寫峻「沖淡」一品，則思與之取徑、思考不同之風格，亦可自成一品，故繼之以「纖穠」，是則表聖之意在求風格之相異，非在救體性之偏頗也。又如「雄渾」之繼以「沖淡」，「典雅」之繼以「洗鍊」，原無必然之緣由在，亦即是表聖寫作之初，本不相聯屬之兩類風格，乃各立其文，各懸其境而已。《詩品續解》強爲之系聯，宜其有所不盡當者焉。

其實，楊振綱《詩品續解》之根本錯誤，起於楊氏誤解「風格」一詞之眞諦，前引《文心雕龍》時已言及，風格之相異，因人之天性、習養而致殊，「才有庸儁，氣有剛柔，學有淺深，習有雅鄭」，風格之相異固其宜也，況乎風格之兩大屬性：一爲獨創，一爲突出，必於各家中，獨有所創，於各品中，特具所得，方可謂之「風格」，否則，與泛泛衆生無異，各品表現平平，何「風格」之有！兩大屬性中，尤以後者爲重，蓋有數人風格相似而成一流派者，但一人而兼具多種風格，除大詩家如杜甫外，則少有所聞，是以，風格之形成，往往趨於尖銳化，如「豪放」之風格，則宜盡其豪放之能事，不得謂其過於豪放而有「傲」「蕩」之失，因思以「精神」濟之，若爲如此，則難以謂爲風格豪放矣！再者，風格之形成，未必有其偏逸之處，如「雄渾」未必失於「猛」與「濁」，「豪放」未必失於「傲」與「蕩」，基於是，楊振綱所謂「脈絡可尋」，實不足爲法矣！

楊振綱所尋之脈絡，固無當於作者原意，然其有裨於學者之心者，亦非在脈絡之揭舉，究其裨益人心者有二：其一爲讀書方法之悟，王三德〈詩品續解序〉：「燈下卒讀，見其前後貫串，議論融洽，忽覺有悟，非悟作詩之法，悟讀書之法也。竊以詩分二十四品，品與品各別，在表聖當日，原無相屬之意，及讀虛舟（按：楊振綱字虛舟）所解，又似當日實相屬者。此如十五國風，衞先王，齊次鄭，本無意義，而註疏家咸以爲尼山序次，必非偶然，各爲抉其原委。續解之作，其殆有得于此乎？持此意以讀書，能於無字句處，悟無窮妙義，況以之讀詩品而有不悟者乎？」其二爲風格得失之悟，司空

圖二十四詩品僅摹擬詩之二十四種風格，繪聲繪影，言其境之幽美無盡，至乎楊振綱《詩品續解》，則言各品之失，學者正可由此更悟表聖之心，而防其失也。

研討《詩品》體系者，尚有將二十四目拆散，另製標目爲之組合者，其離表聖之心，可謂遠矣！

許印芳輯有《詩法萃編》之書，其〈二十四詩品跋〉即將詩品分爲「品格」與「功用」兩大類，其言曰：

> 其教人爲詩，門戶甚寬，不拘一格。嘗撰二十四詩品，分類繫辭，字字新創，比物取象，目擊道存。然品格必成家而後定，如「雄渾」「高古」之類，其目凡十有二。至若「實境」「精神」之類，乃詩家功用，其目亦十有二。竊嘗會通其義，究厥終始。
>
> 詩興所發，不外哀樂兩端，或抽「悲慨」之幽思，或騁「曠達」之遠懷，佇興而言，無容作僞。其作用有八：先從「實境」下手，次加「洗鍊」工夫，敍事要「精神」，寫情要「形容」，意要「委曲」，法要「縝密」，而總歸於氣機「流動」，出語「自然」。其深造之境有二：溫厚微婉，則有「含蓄」之美；刻勢切至，則有「沈著」之美。所造既深，始成家數。分門別戶，加以品題：「雄渾」第一，「高古」次之，「豪放」第三，「勁健」第四，「超詣」第五，「飄逸」六，「清奇」七，「沖淡」八，「疏野」九，「典雅」十，「綺麗」十一，「纖穠」十二。末二品外貌多，內功少，要貴麗而樹骨，穠而澤古，方可成家。故其疏麗在濃淡之間，疏穠在與古爲新也。

許氏既言「門戶甚寬，不拘一格」，又言「敍事要精神，寫情要形容，意要委曲，法要縝密」，矛盾已出，復以「品格」及「功用」分二十四品爲兩類，語焉不詳，未能剖清析明，非爲允當之論也。

近人朱東潤著《中國文學批評史大綱》，言《詩品》一書，可謂爲詩之哲學論，於詩人之人生觀，詩之作法，詩之品題，皆一一言及。故朱氏將二十四品分爲五類，其排比如次：

一、論詩人之生活——疏野　曠達　沖淡

二、論詩人之思想——高古　超詣

三、論詩人與自然之關係——自然　精神

四、論作品
- 陰柔之美——典雅　沈著　清奇　飄逸　綺麗　纖穠
- 陽剛之美——雄渾　悲慨　豪放　勁健

五、論作法——縝密　委曲　實境　洗鍊　流動　含蓄　形容

此說亦未稱妥切，頗多附會之言，如論詩人與自然之關係，而以「自然」「精神」爲例，其爲臆測之語實不待言，又如詩人生活與詩人思想，又有未可強分者，至於「論作法」與「論作品」分而爲兩類，論作品則以「陰柔」「陽剛」強爲區劃，其不當有至此者！故其後言「虛幻之境地」「虛幻之人生」及「虛幻之人生觀」，所舉各品，其取材皆未準其類例，復有「何一而非詩境」之語，則朱氏五類分屬之說，未敢以爲得司空之奧義者也。

至此，詩品體系之探討，大抵以探討品與品之關係爲目標。二十四種風格之中，表聖實未列其先

後秩序，由以上所述，知其各品之間未有聯屬，亦無輕此重彼之意。故王漁洋《香祖筆記》云：「表聖論詩有二十四品，余最喜不著一字，盡得風流八字。」又云：「采采流水，蓬蓬遠春二語，形容詩境亦絕妙。」以為「含蓄」與「纖穠」最為佳妙，此乃以偏概全之見，是以引起趙執信及《四庫總目提要》之辨正，趙執信《談龍錄》云：「觀其所第二十四品，設格甚寬，後人得以各從其所近，非第以『不著一字，盡得風流』為極則也。」《四庫總目提要》則以為：表聖「所列諸體畢備，不主一格，」王士禎但取其『采采流水，蓬蓬遠春』二語，又取其『不著一字，盡得風流』二語，以為詩家之極則，其實非圖意也。」《四庫提要》以為表聖二十四品之臚列，乃不主一格之意，此說實應溯自蘇東坡〈書黃子思詩集後序〉，其言曰：「蓋自列其詩之有得於文字之表者二十四韻，恨當時不識其妙。」皆主張二十四詩品並無輕重之分，表聖原意實不主一格也。

既不主一格，則品數之多寡，原無定數，林昌彝《海天琴思錄》卷七言：「詩之品何止二十四，況二十四品中相似者甚多。」核其前句，以為二十四品未足賅詩之所有品類，後句則以為二十四品之中又有相似而可歸併者，此言似乎甚得其理，實則，二十四品既為表聖自列其詩之有得於文字之表者，原無需斤斤計較名目之多寡也，若欲細究其類，即雙倍於二十四品，亦何能探清本末！若欲總歸其塗，則又不外乎剛柔二流。故知二十四品，自有其適切之處置也。

詩品名目之多寡，次第之先後，原無涉於表聖之心，然則，既無論系可言，則其書之價值何在？申言之，詩品一書雖乏必然相關聯之體系，豈亦無中心之旨意乎？此又大不然矣！孔子曰：「吾道一以貫之。」表聖詩品之作亦唯此意爾，表聖之道，何以貫之？一言可蔽，曰「思與境偕」而已。思則禪道之思，境則韻外之致，故論雄渾，曰：「超以象外，得其環中」；論冲淡，曰「遇之匪深，即之愈希」；論纖穠，曰：「乘之愈往，識之愈眞」；論沈著，曰：「所思不遠，若爲平生」；論高古，曰：「虛佇神素，脫然畦封」；論典雅，曰：「落花無言，人淡如菊」；論洗鍊，曰：「體素儲潔，乘月返眞」；論勁健，曰：「飲眞茹強，蓄素守中」；論綺麗，曰：「神存富貴，始輕黃金」；論自然，曰：「俱道適往，著手成春」；論含蓄，曰：「不著一字，盡得風流」；論豪放，曰：「由道返氣，處得以狂」。觀此十二品，大抵可知全書中心思想何在，故詩品屢爲俊彥之士喩爲「詩之哲學論」「詩之玄學論」，豈偶然乎？

詩品二十四則，雖無嚴密之體系可資聯繫，各品之間皆呈獨立自主之態，然而，表聖既以禪道之思，韻外之致爲其基本詩觀，則詩品之謹嚴理論乃藉此架構而完成，如以圈表各品，以線表中心意旨，則可繪圖如次：

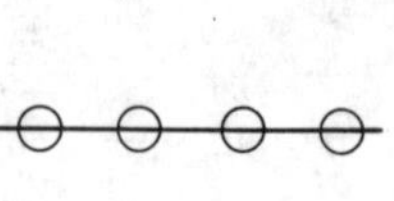

是以，王漁洋以「不著一字，盡得風流」，及「采采流水，蓬蓬遠春」爲詩家極致，固屬非是，

而趙執信以爲「設格甚寬，後人得以各從其所近」，亦非允當，蓋表聖論詩雖不主一格，得以各從所近，然亦不得拘於字句，而少韻外之致，味外之旨也。準乎此而識表聖詩觀，必有事半功倍之效。

第三節　詩品特質探討

一、詩品之特質

「詩品」兩字，用以名書，蓋始自梁朝鍾嶸。表聖之書亦以「詩品」名之，則其間義界必有所別，而表聖尤當寓深義焉。

品字，《說文》云：「衆庶也。」《繫傳》引《國語》：「天子千品萬官。」《廣韻》：「品，類也。」《書》〈禹貢〉：「厥貢惟金三品。」知此品字與「庶」「類」同義。庶類衆多而需加以區別，則品又有區別之義，《國語》〈鄭語〉：「以品處庶類者也。」故佛家經論之篇章曰品，如壽量品等。梵語跋渠，義譯爲品，亦取區別之義。因「區別」而有「差等」，「階格」，是如《禮記》〈檀弓〉：「品節斯，斯之謂禮。」疏：「品，階格也，節，制斷也。」孫希旦集解云：「先王因人情而立制，爲之品而使之有等級，爲之節而使之有裁限。」又如《漢書》〈揚雄傳〉：「稱述品藻。」注：「品藻者，定其差品及文質。」《漢書》〈匈奴傳〉：「給繒絮食物有品。」故「品」有「品秩」之義，《書》〈舜典〉：「五品不遜。」疏云：「品爲品秩一家之內尊卑之差，即父母兄弟子是也。」《晉書》〈苻堅載記〉：「堅親臨太學，考學生經義優劣，品而第之。」《北史》〈平恒傳〉：「皆撰品第，商略是非。」

魏文帝時立九品官人之法，佛家、道家及回教，皆有九品之分，雖用法互異，而爲品秩等級則同。以九品之法用於評論文學藝術，魏晉六朝時已頗爲盛行，如「庾肩吾有書品，分爲上上，上中，上下，中上，中中，中下，下上，下中，下下九品。謝赫有古畫品，分爲六品，沈約有棋品，現在止存序文，分爲若干品不可考。」（見羅根澤《魏晉六朝文學批評史》）。至乎鍾嶸，則取「三品升降」定詩之優劣，即以詩爲品題對象，銓衡其高下者也。

品，又有品嘗之義，《周禮》〈天官膳夫〉：「膳夫授祭，品嘗食，王乃食。」注：「品者，每物皆嘗之。」又，《禮記》〈玉藻〉：「命之品嘗之，然後惟所欲。」注：「必先徧嘗之。」疏：「品猶徧也，既未敢越次多食，故君又命徧嘗之後，則隨己所欲，不復次第也。」表聖〈與李生論詩書〉中，以爲「辨於味而後可以言詩」，二十四詩品乃自列其詩之有得于文字之表者，其所以能「得」，必是徧嘗衆味之後，有所區辨而後得也。今人言「品」茶，即有「仔細體味」之意，又有「品賞」之詞，亦由品嘗欣賞而來，故知表聖「詩品」之「品」必有「品嘗」之「義涵」在焉。

又，品有法式之義，《漢書》〈梅福傳〉：「叔孫通遁秦歸漢，制作儀品。」此儀品者，禮儀規範也，延用於日常行爲，則爲性行之模型，亦可謂爲品格、人品之表徵。表聖品嘗詩作，歸納而得二十四種風格（品類），懸而爲的，準而可至，因以「詩品」稱之。

或曰：「風格即人格」，近人頗稱是說，彥和《文心雕龍》〈體性篇〉曰：「宜摹體以定習，因性以練才」，率先提倡：詩文風格乃源於個人性行之展現，故表聖「詩品」之品，有以「人品」爲之釋說者，楊廷芝即主此論，其〈二十四詩品大序〉云：「詩以言志，亦以見品，則志立而品與俱立。讀三百篇，因其詩，論其世，猶穆然想見其爲人。唐至中晚，頌美而流於諂諛，譏刺而失之輕薄，不可以爲詩，安見其有品。司空表聖約定詩品二十四，倘亦有感於詩教之原，而欲人之於詩求品者，亦先有以養其志與？」其言甚明矣！〈二十四詩品小序〉亦以爲「詩不可以無品，無品不可以爲詩，此詩品之所以作也。」又曰：「有品而可以定其格，亦於言而可以知其志，詩之不可以無品也如是夫！」楊廷芝以「詩教」爲說，雖無當於表聖詩境之摹寫，然就表聖尊儒崇道之心考之，亦有可相契合者。楊廷芝之外，有劉澐者亦倡此議，其序《詩品臆說》，曰：「乃知其本人品以爲詩品，尤偶乎獨遠也。」亦足備一說。

實則，表聖詩品顯而易見之特色，在乎形象擬喻之美化，詩品二十四則，蓋即二十四首四言詩也。鄭鄤《峚陽草堂文集》卷九「題詩品」曰：「四言體自三百篇後，獨淵明一人耳。此二十四韻，悠遠深逸，乃復獨步，可以情生于文，可以想見其人。」從二十四品之文字，見其悠遠深逸之情，此乃發夫理論而孕夫生機之說，既不失其翔實，亦不流於枯澀，是以劉澐〈詩品臆說序〉曰：「有劉舍人之精悍，而風趣過之；有鍾中郎之詳贍，而神致過之，洵所謂不於鹽梅求味，而得味在酸鹹外者。」孫聯奎著《詩品臆說》，於表聖詞華意象，亦深加讚歎，其〈自序〉云：「其命意也，月窟游心；其修詞也，冰甌滌字。得其意象，可與窺天地，可與論古今；掇其詞華，可以潤枯腸，可以醫俗氣。圖畫象象，靡所不該，人鑒文衡，罔有不是，豈第論詩而已哉！然所以論詩者，已莫備於斯矣。」推崇有加。其後又以鍾嶸《詩品》與之相較，曰：「昔鍾嶸創作詩品，志在沿流溯源，若司空詩品，意主摹神取象，其取象明顯者，俯拾即是也。」以「沿流溯源」說鍾記室詩品，嫌其未爲周全，蓋鍾氏詩品頗重品題等第，未若言其「志在品第溯源」較爲愜當，至以「摹神取象」四字總言司空《詩品》志意，實未可再置一喙者也。

表聖著作《詩品》，摹其神而取其象。今人讀其書，則由取象入手，想摹其神，故論究詩品特質，當由詩品形象喻詞之分析，窺探詩境。今試以五類將之歸屬，一則探其淵源，二則見其優美也：

㈠天體周流：如「具備萬物，橫絕太空，荒荒油雲，寥寥長風。」（雄渾品）。「海風碧雲，夜渚月明，如有佳語，大河前橫。」（沈著品）。「行神如空，行氣如虹，巫峽千尋，走雲連風。」（勁健品）。

㈡歲月遷移：如「百歲如流，富貴冷灰，大道日往，若爲雄才。」（悲慨品）。「生者百歲，相去幾何，歡樂苦短，憂愁實多。」（曠達品）。「乘之愈往，識之愈眞，如將不盡，與古爲新。」（纖穠品）。

㈢山林美景：「碧桃滿樹，風日水濱，柳陰路曲，流鶯比鄰。」（纖穠品）。「露餘山青，紅杏在林，月明華屋，畫橋碧陰。」（綺麗品）。「娟娟群松，下有漪流，晴雪滿汀，隔溪漁舟。」（清奇品）。

(丁)佳士幽鳥：如「素處以默，妙機其微，飲之太和，獨鶴與飛。」（冲淡品）。「綠杉野屋，落日氣清，脫巾獨步，時聞鳥聲。」（沈著品）。「青春鸚鵡，楊柳池臺，碧山人來，清酒深杯。」（精神品）。

(戊)物與事雜：如「猶鑛出金，如鉛出銀，超心鍊冶，絕愛緇磷。」（洗鍊品）。「金罇酒滿，伴客彈琴，取之自足，良殫美襟。」（綺麗品）。「若納水輨，如轉丸珠，夫豈可道，假體遺愚。」（流動品）。

以上歸屬，猶未得見形象之神。表聖詩品特重一品之整體印象，故其取象類目或有不同，無不以達及完整詩境之建造爲其目的，欲尋其境，則須研究整品十二句所推湧之形象、及用以相佐助之敍述語句，而後得以想摹其神。如言「雄渾」，雖有「具備萬物，橫絕太空，荒荒油雲，寥寥長風」之狀，亦須探悉「大用外腓，眞體內充，返虛入渾，積健爲雄」爲「雄渾」之所以出，而「超以象外，得其環中，持之匪強，來之無窮」乃「雄渾」之妙用。進而推知王漁洋取「不著一字，盡得風流」，「采采流水，蓬蓬遠春」等句，以爲此即表聖詩境極致，易失於偏，如含蓄品雖須「不著一字，盡得風流」，亦待「是有眞宰，與之沈浮」等爲之輔襯。纖穠品之「采采流水，蓬蓬遠春」，僅爲纖穠一貌，必得「如將不盡，與古爲新」，方爲眞纖穠。此從「取象」而言，未可以斑窺豹，固執一見也。

繼取「摹神」申論，前言「摹神取象」，表聖之意正在此神，取象之目的原爲「摹神」而來，取象爲手段，摹神方爲最終鵠的。皎然《詩式》卷二言：「池塘生青草，情在言外；明月照積雪，旨冥句中。」卷一「重意詩例」曰：「兩重意以上，皆文外之旨，若遇高手，如康樂公，覽而察之，但見情性，不睹文字，蓋詩道之極也。」皎然以爲詩人造極之旨，必在神詣，主張先於意，後於語，此種詩觀，影響表聖甚鉅。表聖詩品雖以形象語詞爲喻，然其最終則在所喻之「神」，所謂「離形得似」是也。

如「典雅」冀求「落花無言，人淡如菊」。
如「自然」亟言「如逢花開，如瞻歲新」。
如「委曲」講究「杳靄流玉，悠悠花香」。
如「曠達」深望「花覆茆簷，疏雨相過」。

不論何品皆求神氣之得以會悟，故「綺麗」則不欲形似「黃金」，而要「神存富貴」，以爲「神存富貴」始是眞正綺麗。「形容」則「如覓水影，如寫陽春」，志主出神入化，不取拖泥帶水，故「縝密」云：「意象欲生，造化已奇」，明言意象欲生之時，造化之神奇總伴隨而出。此乃表聖創形象喻詞深意，詩品之一大特質也，未可輕忽。

表聖雖重「神」之擷取，但亦不怠略形象構成，蓋形與象皆爲神之依以緣生者，無形象則無所寄其神。故研究《詩品》，固不可拘泥形象，玩味渣滓，亦不可追求神氣，颺而不還，兩相牽制，方爲表聖本意。明乎此，則表聖詩品之以形象喻詞爲用，而以玄化神韻爲宗，正可循序而知。

詩品之所以自成體系，顯然依恃同於「超超神明，返返冥無」之觀念爲之貫串。因形以求神，固其初起之階，繼而則不能不藉助於虛幻之境界，化外之高士，以達完全蛻化神思之目的。故表聖求「采采流水，蓬蓬遠春」，「娟娟群松，下有漪流」之譬喩後，覺其旣未足於擬摹詩境，又未足於表達其尋覓「韻外致，味外旨」之深意，換言之，現實世界已有之形象，美則美矣，然猶未能盡述表聖詩觀，故不得不重建另一超乎現實之境，以補足之。

現實之形象喩詞，旨在描繪詩境；非現實之敍述用語，亦以詩境之揣擬爲是。兩者互相補足，共臻佳境。如雄渾之品曰：「具備萬物，橫絕太空，荒荒油雲，寥寥長風」，得見雄渾之神態，然未可全得其妙，故前云：「大用外腓，眞體內充，返虛入渾，積健爲雄」，後云：「超以象外，得其環中，持之匪強，來之無窮」，如是而得全貌，完成風格之摹寫矣。

此一超越現實之境，研讀形象喩詞時亦可將之昇華而得以感悟，如云：

「具備萬物，橫絕太空」（雄渾）。

「空潭瀉春，古鏡照神」（洗鍊）。

「明漪絕底，奇花初胎」（精神）。

「花覆茆簷，疏雨相過」（曠達）。

若此類皆是。表聖超然之思即《詩品》之最大特質，故形象喩詞以此爲功，而敍述語句亦因此而試圖建立超於世俗之境，觀其遣詞，知其用心，直接承受釋道兩家思想影響，旣深且大，見諸於文詞者，如：

雄渾：「大用外腓，眞體內充，返虛入渾，積健為雄」，「超以象外，得其環中」。
冲淡：「素處以默，妙機其微，飲之太和，獨鶴與飛」。
高古：「畸人乘眞，手把芙蓉，泛彼浩劫，窅然空蹤」，「虛佇神素，脫然畦封，黃唐在獨，落落玄宗」。
洗鍊：「體素儲潔，乘月返眞」。
自然：「俱道適往，著手成春」。
含蓄：「是有眞宰，與之浮沈」。
豪放：「由道返氣，處得以狂」。
疏野：「惟性所宅，眞取弗羈」。
委曲：「道不自器，與之圓方」。
實境：「忽逢幽人，如見道心」。
形容：「絕佇靈素，少廻清眞」，「俱似大道，妙契同塵」。
超詣：「少有道契，終與俗違」。
流動：「超超神明，返返冥無」。
表聖於詩品中言「道」，言「氣」，言「眞」，言「素」，言「神」，言「機」，其深漬於佛老者如是。故於此虛幻之境，又不能不置以化外眞人，如：
窈窕深谷，時見美人（纖穠）。

畸人乘眞，手把芙蓉（高古）。
落花無言，人淡如菊（典雅）。
載瞻星氣，載歌幽人（洗鍊）。
幽人空山，過水采蘋（自然）。
可人如玉，步屧尋幽（清奇）。
忽逢幽人，如見道心（實境）。
高人惠中，令色絪縕，御風蓬葉，汎彼無垠（飄逸）。

虛擬幻境，且加以神出古異之仙人鶴客，益見詩思之超脫乎世俗之外，進而闡論之，二十四品言及「人」者十數處，顯見「人」之地位甚爲高超，雖此人爲幽人，爲畸人，爲高人，爲可人，然其揚溢之「生機」，實足於活此詩境，「精神品」所謂：「生氣遠出，不著死灰」是也，於此深思，則知表聖之玄遠詩觀，非全然蹈空者可比，〈與惠生書〉云：「唐虞之風，三代非不弊也。賴聖人先其極而變之不滯耳。秦漢而下時風溢澆，視之而不知其弊，矯之而不知其變，質文莫辨，法制失中，侮儒必正，泥儒必削，則士大夫雖有自負雅道者，既不足以鎭之，而又激時之怨耳。漢魏之際，其弊益極，懲馬融胡廣之流，故李膺質而峻；誠何晏桓範之俗，則王衍簡而清，矯之而不和，滯之而不顧，始以類聚相扇，終以浮黨見嫉，以至於國家皆瘁，不瘳也，悲夫！」（見《表聖文集》卷二），此書中以爲「存質以究實，鎭浮而勸用」是爲政之道，則其鑑於時弊，以謀改善之心，正是儒家入世之仁與義之展現。其說實承自陳子昂之論，陳子昂〈與東方左虬修竹篇序〉云：「文章道弊五百年矣！漢魏風骨，晉宋莫傳，然而文獻有可徵者。僕嘗暇時觀齊梁間詩，彩麗競繁，而興寄都絕，每以永歎，竊思古人，常恐逶迤頹靡，風雅不作，以耿耿也。」（見《全唐詩》），又於〈喜馬參軍相遇醉歌序〉中曰：「吾無用久矣，進不能以義補國，退不能以道隱身，……夫詩可以比興也，不言曷著？」（見《全唐詩》），然而，表聖雖亦以「人」爲詩之主體，實不同於昌言社會詩之元白諸家，故以「力劬而氣孱，乃都市中豪估耳」（見表聖〈與王駕評詩書〉）評元白諸人。

茲引兩節元白之論，以資比較：

自登朝來，年齒漸長，閱事漸多，每與人言，多詢時務，每讀書史，多求理道，始知文章合爲時而著，歌詩合爲事而作。（白居易〈與元九書〉）

古之爲文者，上以仞王教，下以存炯戒，通諷諭。故懲勸善惡之柄，執於文士褒貶之際焉；補察得失之端，操於詩人美刺之間焉。今褒貶之文無覈實，則懲勸之道缺矣；美刺之詩不稽政，則補察之義廢矣。（白居易〈策林〉六十七）

元白之世，天下雖已荒亂，猶有可諷諭者，至乎表聖之時，雖欲自見平生之志，然無有憂天下而過訪者，乃轉而逃避現實，歸隱山林，以求神韻獨出之詩境矣！則其體仁行義，實爲平日心願，終而不能得，惟以虛造之幻境自適耳，然而，詩境之不得不以眞人高士置乎其中，一則見其想望之深，想望幻境轉爲實境也；二則見其顧念之切，顧念凡人化成高人也。是以，元白諸人「目擊貞元十年以後，天下大亂已萌，心體震悸，若不可活，遂發之于詩。」（元稹〈敍詩寄樂天書〉），表聖則轉而嚮往佛老境界，自建幻境以爲理想之地，顧其所出發者，同爲亂世之音，而其持論終至分岐者，實源於釋道思想之浸漬也。

表聖研讀釋道書表，自其雜文所言者，當不下數千卷，〈書屛記〉曰：「丙辰春正月，陝軍復入，則前後所藏及佛道圖記共七千四百卷與是屛，皆爲灰爐，痛哉！」（見文集卷三），浸淫日久，則濡染積深，其時復值兵荒馬亂，民不聊生，故其寄託山水幻境，良有以也。表聖《詩品》亦有承自殷璠、高仲武諸人選集之論者，列此二人之說，可知表聖意主「方外之情」，實與前人相互輝映也。

殷璠編有《河嶽英靈集》，其評論諸人之詩，頗爲愷切：

建詩似初發通莊，卻尋野徑，百里之外，方歸大道，所以其旨遠，其興僻，佳句輒來，惟論意表。（評常建詩）

愛奇務險，遠出常情之外。（評王季友詩）

善寫方外之情。（評綦毋潛詩）

格高調逸，趣遠情深，削盡常言，挾風雅之迹，浩然之氣。（評儲光羲詩）

高仲武則輯有《中興閒氣集》，以「體狀風雅，理致清新」爲其準則，故論錢起，則曰：「員外詩體格新奇，理致清贍，越從登第，挺冠詞林。文宗右丞，許以高格，右丞沒後，員外爲雄。芟齊宋之浮游，削梁陳之靡漫，迴然獨立，莫之與群。」，論皇甫冉，乃云：「發調新奇，遠出情外」。

殷璠與高仲武選集之意，正可由其評論中見得，兩者容有殊異，但其所同者，如求「意興之表」「方外之情」，即表聖《詩品》所推尋者。殷璠諸人既高崇王孟之詩，而表聖亦盛讚王右丞、韋蘇州「澄澹精緻」「趣味澄敻」，則持論之一脈相傳固可信矣。

表聖遭逢亂世，歸隱中條山王官谷，而於《詩品》中試圖另創新境，則其心意當有可與晉世陶淵明同觀者。「綺麗」品，云：「金樽酒滿，伴客彈琴，取之自足，良殫美襟」，其語實本淵明〈諸人共游周家墓柏〉之詩：「今日天氣佳，清吹與鳴彈，感彼柏下人，安得不爲歡？清歌散新聲，綠酒開芳顏，未知明日事，余襟良已殫。」嚮往清平佳境，彈琴吟嘯，以忘懷世俗之情也。又，「疏野」品云：「築室松下，脫帽看詩，但知旦暮，不辨何時。倘然適意，豈必有爲？若其天放，如是得之。」其中言「但知旦暮，不辨何時」，正同乎淵明〈桃花源記〉所稱：「問今世何世，乃不知有漢，無論魏晉。」桃花源，本無其地，陶潛自寫其理想之國耳。桃花源雖爲理想之境，然觀乎淵明所記，其景其物亦屬常見，以是而知王國維《人間詞話》所云「大詩人所造之境必合乎自然，所寫之境亦必鄰於理想」，誠爲的論。此則淵明詩中境界，亦表聖詩品所深深寄意者。表聖與淵明處境略同，心境亦似，故因淵明詩境發而爲《詩品》，兩相契合，了無間隙也。〈休休亭〉記其僧師之言曰：「且汝雖退，亦嘗爲匪人之所嫉，宜以耐辱自警，庶保其終始，與靖節醉吟，第其品級於千載之下，復何求哉！」則其心儀者亦已深矣！

《詩品》之基本思想，亦可就表聖論詩雜文揆見一二，但其雜文時見新義，故另立一段爲之述明。

二、詩品與論詩雜文

表聖詩論，《詩品》最見精純，然亦有散居於文集中者，就中以〈與王駕評詩書〉，〈與李生論詩書〉，〈題柳柳州集後序〉，〈與極浦書〉，及〈詩賦贊〉五篇最著。

此五篇雜文，實可由四種觀念加以釋說：

其一爲「澄澹精緻，格在其中」：

表聖於王、韋特爲贊崇，此語即用於評論王、韋之詩。宋陳后山《后山詩話》引柳子厚言：「右丞、蘇州，皆學于陶，王得其自在。」后山又云：「淵明不爲詩，寫其胸中之妙爾。」他如《册府元龜》、《玉林詩話》，皆推崇王維「獨步於當時」，「最爲警絕」，清人王漁洋編著《唐賢三昧集》，更以王維列其首。王、韋之詩既承淵明而來，表聖又深契淵明心志，則其推崇非出偶然。《舊唐書》稱王維奉佛，樂於玄談，退朝之後，焚香獨坐，以禪講爲事，其風格之形成蓋由內心修養而來。韋應物，《唐詩記事》言其情性高潔，所在焚香而坐，亦由心平氣和，故能風懷澄澹也。蘇東坡稱王維「詩中有畫，畫中有詩」，《新唐書》本傳深贊其畫，以爲「畫思入神」，「天機獨到」，則其詩之澄澹精緻，自不待言，故表聖於書信中兩度言及：

王右丞、韋蘇州，澄澹精緻，格在其中，豈妨於道學哉！〈與李生論詩書〉

右丞、蘇州，趣味澄敻，若清風之出岫。〈與王駕評詩書〉

表聖推舉「趣味澄敻」，實亦二十四詩品之本意，如「沈著」則云：「綠杉野屋，落日氣清，脫巾獨步，時聞鳥聲。」如「洗鍊」則云：「空潭瀉春，古鏡照神，體素儲潔，乘月返眞。」又，整部二十四詩品之作，自見其澄遠而有味也。

其二爲「詩貫六義，思與境偕」：

〈與李生論詩書〉云：「詩貫六義，則諷諭、抑揚、渟蓄、淵雅，皆在其中矣。」

〈與王駕評詩書〉云：「河汾蟠鬱之氣，宜繼有人，今王生寓居其間，浸漬益久，五言所得，長於思與境偕，乃詩家之所尙者。」

詩品之作，皆在揭示詩境，論列風格，於詩法則少有言及，論詩之書，亦鮮及方法，唯此二處，提出「詩貫六義」「思與境偕」，則足於補其未足。

詩貫六義者，即《周禮》〈春官大師〉所云：「教六詩，曰風，曰賦，曰比，曰興，曰雅，曰頌。」〈詩大序〉據此而言詩有六義。《周禮》鄭注云：「風，言賢聖治道之遺化；賦之言鋪，直鋪陳今之政教善惡；比，見今之失，不敢斥言，取比類以言之；興，見今之美，嫌於媚諛，取善事以喩勸之；雅，正也，言今之正者，以爲後世法；頌之言誦也，容也，誦今之德，廣以美之。」孔疏曰：「風雅頌者，詩篇之異體，賦比興者，詩文之異辭，大小不同，而並爲六義者，賦比興是詩之所用，風雅頌是詩之成形，用彼三事，成此三事，故得並稱爲義。」表聖於六義，未作詳解，以爲貫六義，則諷諭、抑揚、渟蓄、淵雅，皆在其中，此種見解當是承自鍾嶸，釋皎然「雅正」之說。鍾嶸稱應璩「指事殷勤，雅意深篤」，責稽康「訐直露才，傷淵雅之致」，說鮑照「不避危仄，頗傷清雅之調」。一以雅正爲依歸。皎然十九體關乎雅正者如次：

貞：放詞正直曰貞。

忠：臨危不變曰忠。

節：持節不改曰節。

志：立志不改曰志。

德：詞溫而正曰德。

誠：檢束防閑曰誠。

表聖忠君憂國，所遭非時，故以諷諭、淵雅爲其詩之入手處，至乎通貫六義，則又冀求藝術技巧得以抑揚、渟蓄，較諸皎然，更進一步矣！故論賈閬仙曰：「賈閬仙誠有警句，然視其全篇，意思殊餒，大抵附於蹇澀，方可致才，亦爲體之不備也。」固求內容之充實，亦求體式之完備，所謂「不拘於一概」者是也。以此而視「詩貫六義」之說，則表聖之力主「通貫」六義，亦可見得，蓋能通貫六義，不偏一隅，則可免除意思殊餒、體式不備之弊。

至乎「思與境偕」，則爲詩家極致，有「思」故能言之有物，有「境」故能引人入勝，兩者相互諧和，則如鳥之比翼，魚之比目矣！「境」者，二十四詩品所擬摹者是也，「思」者，詩人心中所蘊蓄者是也，觀乎二十四詩品，則先有「雄渾」之思，次有「雄渾」之境，思先於境，必與境偕；境後於思，必有思存，故思依境而現，境待思而得，今人所謂「情景交融」是也。至若有思而無境，有境而無思，皆未可以爲詩，故表聖云：「長於思與境偕，乃詩家之所尚者。」

其三爲「象外之象，景外之景」：

〈與極浦談詩書〉云：「戴容州云：『詩家之景，如藍田日暖，良玉生煙，可望而不可置於眉睫之前也。』象外之象，景外之景，豈容易可談哉？」

表聖談詩，亦以神詣爲上，故〈與李生論詩書〉曰：「蓋絕句之作，本於詣極，此外千變萬狀，不知所以神而自神，豈容易哉？」求其「不知所以神而自神」，則其景象必存於實景實象之外，亦即：實景實象爲詩人所取用，然詩人意在此景象之外另得景象，許印芳所謂「略形貌而取神骨」，足於發表聖此意。重讀二十四詩品，則雄渾品言「超以象外，得其環中」，冲淡品言「脫有形似，握手已違」，典雅品言「落花無言，人淡如菊」，洗鍊品言「流水今日，明月前身」，含蓄品言「不著一字，盡得風流」，縝密品言「意象欲生，造化已奇」，形容品言「風雲變態，花草精神」，皆求象外象，景外景之意。實則，二十四詩品皆以形象喻詞摹寫詩境，其目的固不在其形其象也。歐陽修《六一詩話》引梅聖俞之言曰：「狀難寫之景如在目前，含不盡之意見於言外」，確已隱含表聖象外象，景外景之意。

其四爲「韻外之致，味外之旨」：

表聖諸篇論詩之文，最重要之詩觀見於〈與李生論詩書〉，其中「韻外之致，味外之旨」最足於發《詩品》未言之說，可與「象外之象，景外之景」相比擬，其說則以「辨味」爲始，此論詩雜文之最具條理者：

「文之難，而詩尤難，古今之喻多矣，愚以爲辨於味而後可以言詩也。江嶺之南，凡足資於適口者，若醯，非不酸也，止於酸而已；若鹺，非不鹹也，止於鹹而已。中華之人，所以充饑而遽輟者，知其鹹酸之外，醇美者有所乏耳。彼江嶺之人，習之而不辨也，宜哉。」

其意以爲：說解文章，已爲難事，詩爲玄妙之學，其難尤有過之者。古往今來，正不知有多少喻義，然表聖以爲辨於味而後始可言詩，以辨味爲譬，求味外之味也。故取江嶺之南，足資適口之醯與鹺爲諭，醯，非不酸也，然而止於酸而已；鹺，非不鹹也，止於鹹而已；言鹹酸之外，醇美者有所乏耳，亦即未有可以回味者，酸矣，鹹矣，然未能如橄欖之可回甘，如陳酒之資餘香，僅止於酸鹹而已。醯鹺之止於酸鹹，譬諸於詩，則爲語意之拘泥也，所謂坐死句下者是也。江嶺之南，文化未爲發達，故以止於酸鹹之物爲足資適口，中華之人，見多識廣，雖以醯鹺充饑，猶能忍而輟食者，緣於醇美之缺也，此乃兩者追求層次不同，雖爲淺顯之喻，亦足見褒貶之心。

以「味」爲喻而論詩，鍾嶸《詩品》實啓其端，〈詩品序〉云：「五言居文詞之要，是衆作之有滋味者也。」「永嘉時……理過其辭，淡乎寡味。」鍾氏論詩有賦比興三義，其言足以闡揚「滋味說」：

詩有三義焉：一曰興，二曰比，三曰賦。文已盡而意有餘，興也；因物喻志，比也；直書其事，寓言寫物，賦也。宏斯三義，酌而用之，幹之以風力，潤之以丹采，使味之者無極，聞之者動心，是詩之至也。

鍾記室釋「興」則曰：「文已盡而意有餘」，釋「比」爲「因物喻志」，釋「賦」爲「寓言寫物」，主張詩以情志爲實，而求其「文已盡而意有餘」，亦即皎然所云：「情在言外，旨冥句中」之意也。因主文盡意餘，知有足於回味者，方有可餘之意，故《詩品》卷上論阮籍「詠懷」之作曰：「言在耳目之內，情寄八荒之表，洋洋乎會於風雅，使人忘其鄙近，自致遠大，頗多感慨之詞。厥旨淵放，歸趣難求。」此評殆近乎表聖味外味之意，「厥旨淵放，歸趣難求」，實値再三玩味者也。

表聖旣求鹹酸之外宜多醇美，則進而倡議「韻外之致」「味外之旨」，當不難索其意旨所在。其原文爲：

近而不浮，遠而不盡，然後可以言韻外之致耳。

足下之詩，時輩固有難色，倘復以全美爲上，卽知味外之旨矣。

表聖詩觀雖有玄虛之妙，然其示以臻之之道，則自有可行之時，後之論者本此而加厲，恐非表聖本意。故云「韻外之致」，則「近而不浮，遠而不盡」，「味外之旨」，則以「全美」爲上。細論之：近而不浮，則非以浮華、虛空爲尙，如是而可得生動之氣韻，遠而不盡，則雖遠而終可回味無窮，蓋得韻外之致也。至乎「味外之旨」，則期其全美，全美者，完美也，非指部份之突出表現，蓋求整體藝術氣氛之完成，以境之周全爲極，以意之淸美爲至，而後始知味外之旨也，孟子曰：「充實之謂美」，卽由詩作本身已得完整之充實，始可以謂美。詩能全美，則味外之旨必可瀰出。

韻味已是詩人所亟力以求，表聖更倡韻外韻，味外味，則其詩學至此臻於完成之境，詩品之特質大抵可明矣！

第四章　詩品之影響與評價

第一節　影　響

表聖「詩品」成於唐末，其影響於後世者，可分兩點論述：

一、從寫作形式言：

詩品之寫作形式，前曾述之，乃一題十二句，一句四字，一韻到底也。此一作法，殊不稱便，蓋理論之作極需闡述，如詩品著，情趣雖多，細論則闕。表聖之力尚能造致其功，後之學者拘牽於字數，囿限於名目，不無膠柱鼓瑟之譏，所獲評價自亦不高，其中較能自成一家之作者，當推袁隨園「續詩品」三十二則，《四品彙鈔》王飛鶚序云：「先生說詩之旨，薛橫山謂一見於答歸愚宗伯書，再見於續詩品三十二首，今觀此作，化表聖之奧意深文為軒豁呈露，眞使學者有規矩可循。」今舉其前四則於後，以見一斑：

崇意

虞舜教夔，曰詩言志，何今之人，多辭寡意！

意似主人，辭如奴婢，主弱奴強，呼之不至。
穿貫無繩，散錢委地，開千枝花，一本所繫。

精思

疾行善步，兩不能全，暴長之物，其亡忽焉。
文不加點，興到語耳，孔明天才，思十反矣。
惟思之精，屈曲超邁，人居屋中，我來天外。

博習

萬卷山積，一篇吟成，詩之與書，有情無情。
鐘鼓非樂，捨之何鳴，易牙善烹，先羞百牲。
不從糟粕，安得精英，曰不關學，終非正聲。

相題

古人詩易，門戶獨開，今人詩難，群題紛來。
專習一家，硜硜小哉！宜善相之，多師爲佳。
地殊景光，人各身分，天女量衣，不差尺寸。

隨園《續詩品》之前，自有小序，曰：「余愛司空表聖詩品，而惜其只標妙境，未寫苦心，爲若干首續之。陸士龍云，雖隨手之妙，良難以詞諭，要所能言者，盡於是耳。」則其續詩品，不在風格之擬摹，而在詩法之呈示也，其所續者唯十二句韻語而已，因此，葉廷琯於《鷗陂漁話》中評之曰：「小倉山房集中續詩品三十二首，序謂表聖祇標妙境，未寫苦心，故爲續之，其語誠多精到處。不知表聖不落言詮，獨取景象，以示詩中有如是種種品格，此其所以名詩品也。隨園所續，皆論用功作詩之法，但可謂之詩法，不當謂之詩品，且所作亦殊足自成一家，何必定襲表聖舊名耶？」所評極是，然此亦尊古之道爾！

茲列隨園「續詩品」三十二則之名目於次，可爲參看：

崇意　精思　博習　相題
選材　用筆　理氣　布格
擇韻　尚識　採采　結響
取徑　知難　葆眞　安雅
空行　固存　辨微　澄滓
齋心　矜嚴　藏拙　神悟
即景　勇改　著我　戒偏
割忍　求友　拔萃　滅迹

其後有江順詒者，作《補詞品》二十首，其序謂：「昔隨園補詩品三十二首，謂前人祇標妙境，未寫苦心，特爲續之。詒於詞品亦同此論，因仿其意得二十首。」其目略同隨園《續詩品》，側重詩法之陳述。

或有異於隨園以功夫說詩，承襲表聖原意，以摹寫風格者，據近人郭紹虞《詩品集解》所錄，計有七家，茲列述其序跋及名目於後。首爲顧翰之《補詩品》，其序云：「余倣司空表聖作詩品二十四則，伯夔見而笑曰，此四言詩也。因掇而登之集中，以備一體。」其目如下：

古淡　蘊藉　雄渾　清麗　哀怨　激烈

奥折　華貴　疏散　超逸　閒適　奇豔

淒婉　飛動　感慨　雋雅　高潔　精鍊

峭拔　悲壯　明秀　豪邁　眞摯　渾脫

（《拜石山房詩鈔》卷六　文品彙鈔本）

其後爲曾紀澤《演司空表聖詩品二十四首》，其名目及先後次序，率依表聖原目，其敍寫方式則改以七言律詩爲體，如「雄渾」品，曰：「紫氣崑崙廣野閒，流如煙景駐如山。黃河天上來舟楫，絳闕雲中照闤闠。北風培風鵬有翼，南山隱霧豹無斑。遍遊穹顥三千界，祇仗驊騮十二閑。」此蓋品「雄渾」之境者也。

詩之外，亦有假表聖詩品之體，以詮文釋詞者，如馬榮祖《文頌》是，文頌雖以「頌」爲名，實襲表聖故步。其自序云：「頌居六義之後，而會四始之全。三頌偉矣，變而爲騷，始創橘頌。晉劉伶乃頌酒德，緣物導意，橅彷遂滋。若陸機之頌功臣，才華閃爍，而予奪錯互，自紊其體。善乎梁劉勰之論曰：『敷寫似賦，而不入華侈之區；敬愼如銘，而異乎規戒之域。』斯頌體也。雕龍上辨體裁，下窮筆術，而風氣不越齊梁間。反覆古人締造所由，鈎摹情狀，都來可得百例，視緦所列，殆於倍之。夫一物之細，猶或擬諸形容，而載道行遠之文，歌頌闕如，寂寥千古，斯亦翰墨之耻也。用據所窺測，創立文頌，虛空追攝，幻等結風，而曩所嘗試利鈍曲折之故，往往來會，豈夙世薰習，藉手冥謝古人，抑聊附正則伯倫之後，而因以補彥和所未及，庶幾離形得似之旨乎！正聲不絕，來者難誣，下上茫茫，喟然閣筆。」其《文頌》雖有意以「頌」體論文，然觀所作，則又與表聖《詩品》彷彿似之矣，是以《文頌》上下各四十八則後，楊復吉識曰：「唐司空氏有詩品，近隨園先生又有續詩品，其于風騷旨格，備舉無遺，獨品文者尙少其人，亦藝林缺典也。今得文頌，可謂難並美具矣。作者爲壬子孝廉，以古文鳴江左，詞科掌錄亦稱其爲文清遒深亮云。」《文頌》之作，可視爲馬榮祖有意仿夫表聖所作，以頌贊文章之體式、風格、及其原理、作用等事，玆列目於次：

馬榮祖《文頌》

上：體源　神思　風骨　意匠　養氣　布勢
動脈　運氣　遣辭　結音　使事　鍊字
守法　識變　取譬　風格　奇正　賓主
疎密　離合　起落　頓挫　氣韻　波瀾
開遮　縱奪　往復　斷續　梳櫛　消納

委曲　翦截　皴染　膽決　組織　擺脫
鎔鍊　刻轢　聯絡　剝換　馴習　運掉
淘洗　興會　風神　風趣　實境　唱歎
下：沈雄　峻潔　典雅　清華　渟古　怪豔
沈著　生動　嚴重　疎放　遒媚　超忽
蒼潤　清越　奇險　輕澹　鬱折　洸漾
雄緊　頹暢　奧澀　樸野　蘊藉　恣睢
澹永　跌宕　瘦硬　渾灝　秀拔　排奡
修遠　夭矯　冲寂　鼓舞　停勻　雄挫
閒適　堅深　清新　古拙　妙麗　勁宛
英雅　遒逸　複隱　空靈　神解　飄渺

至直接以「文品」稱其書者，如許奉恩《文品》三十六則，顯然承襲表聖《詩品》著作原意，郭紹虞識曰：「許奉恩，字劚坪，桐城人，有蘭苕館集，未見。此文品三十六則，錄自民彝雜誌者。」茲誌其目如下：

高渾　名貴　超脫　簡潔　雄勁　典博
精鍊　整齊　放縱　暢足　謹嚴　質樸

恬雅　濃麗　清淡　鮮明　老當　險怪
流動　細密　奇譎　空靈　纏綿　神化
圓轉　純熟　軒昂　幽媚　快利　峭拔
沈厚　和平　悲慨　得意　渟蓄　遊戲

品文如此，而以此體品賦者，則有魏謙升之《賦品》二十四則，郭紹虞識曰：「魏謙升，字雨人。號滋伯，仁和廩貢，官仙居縣訓導，有書三味齋稿，未見。此賦品一卷係錄自丁氏八千卷樓藏書者。」魏謙升《二十四賦品》自序云：「自司空表聖作詩品，仿而爲之者，詞品畫品各有其人，而於賦缺焉。余惟彥和詮賦大暢宗風，樂天賦賦別裁僞體，以四始之流派，爲六義之附庸，雖耻壯夫，實非小道，因於消寒之暇，倣爲成韻之辭，別系於三百五篇，循格爲二十四則。若夫上下古今，考鏡得失，先民論之詳矣，故不復云。」其目則有：

源流　結構　氣體　聲律　符采　情韻
造端　事類　應舉　程試　駢儷　散行
比附　諷諭　感興　研鍊　雅贍　瀏亮
宏富　麗則　短峭　纖密　飛動　古奧

詩品文品賦品之外，更不乏詞品之作。前有江順詒仿隨園《續詩品》而成《補詞品》，次有郭麐《詞品》之出。郭氏《詞品》，其序曰：「余少耽倚聲，爲之未暇工也，中年憂患交迫，廓落尠歡，間復以此陶寫，入之稍深，遂習玩百家，博涉衆趣，雖曰小道，居然非麤鄙可了。因弄墨餘閒，仿表聖詩品，爲之標舉風華，發明逸態，以其塗較隘，止得表聖之半，用以軒翥六義之後，奮蜚四聲之餘，亦猶賢乎博奕。」郭氏詞品，於各家演補諸作之中，最能得表聖神髓，舉其二品，而見大概：

幽秀

千巖巉巉，一壑深美。路轉峯廻，忽見流水。
幽鳥不鳴，白雲時起。此去人間，不知幾里。
時逢疎花，娟若處子。嫣然一笑，目成而已。

高超

行雲在空，明月在中。瀟瀟秋雨，泠泠好風。
即之愈遠，尋之無踪。孤鶴獨唳，其聲清雄。
衆首俯視，莫窮其通。回顧藪澤，翩哉蜚鴻。

若析其品目，「止得表聖之半」，故楊伯夔復有《續詞品》之作，補足爲二十四則。茲臚列品名於次，其前十二則爲郭氏所定，後十二則爲楊氏所補也：

幽秀　高超　雄放　委曲　清脆　神韻
感慨　奇麗　含蓄　逋峭　穠豔　名雋
輕逸　綿邈　獨造　淒緊　微婉　閒雅

高寒　澄澹　疎俊　孤瘦　精鍊　靈活

以上諸家，各品寫作形式，皆承襲《詩品》而來，各家名目亦多類似，如郭氏詞品有「高超」「雄放」之目，表聖原有高古、超詣、雄渾、豪放四品，兩相對照，則其意涵，相差甚尠，換言之，概不出表聖二十四品既有之成就也。

詩品之另一大特色爲「形象喻詞」之應用，表聖引用形象喻詞於文學評論中，此功至偉，其影響於後世學者，雖無顯明之迹，然各家詩話之作，俯仰可見喻詞之形象化矣！此皆《詩品》體式，影響後人之功。

二、從禪思神韻言：

《詩品》之所以受重視，在於提倡韻外之致味外之旨，將詩思建樹於語言文字之外，影響嚴滄浪、王漁洋等一脈相傳，以「神韻」爲重之詩觀，蔚爲中國詩論之一大主流。

嚴滄浪「以禪喻詩」，雖受江西詩派之刺激，然謂之遠溯王維詩風、表聖詩觀，亦不爲過。滄浪之說，如言「論詩如論禪，漢魏晉與盛唐之詩，則第一義也；大曆以還之詩，則小乘禪也，已落第二義矣；晚唐之詩，則聲聞辟支果也。」又言：「大抵禪道惟在妙悟，詩道亦在妙悟。」「惟悟乃爲當行，乃爲本色。」「然悟有淺深，有分限，有透徹之悟，有但得一知半解之悟。漢魏尚矣，不假悟也；謝靈運至盛唐諸公，透徹之悟也；他雖有悟者，皆非第一義也。」滄浪拈提「妙悟」二字，實爲「興趣說」之最初張本，其前有姜白石主一「妙」字，啓其端緒，滄浪益之以「悟」，更加圓熟。

以禪論詩之說，有二家詩話可與滄浪相互印證：其一爲曾季貍《艇齋詩話》云：「後山論詩說換骨，東湖論詩說中的，東萊論詩說活法，子蒼論詩說飽參，入處雖不同，其實皆一關捩，要知非悟不可。」滄浪主「妙悟」，蓋非妙悟，不足於得詩之韻外致，味外旨也。其二爲葉夢得《石林詩話》，曰：「禪宗論雲門有三種語：其一爲隨波逐浪句，謂隨物應機而不主故常；其二爲截斷衆流句，謂超出言外，非情識所到；其三爲涵蓋乾坤句，謂泯然皆契，無間可伺，其深淺以是爲序。」此三種語句，實可視爲詩之三種境界，由參悟之淺深，沿階得至也。以此視表聖詩品，則「不主故常」，「超出言外」，「泯然皆契」，皆詩品所蘊涵之深意。亦即表聖深受佛老影響，其說雖未明指以禪喻詩，然《詩品》中實多神領意會之思，北宋以後，乃明示禪之可以喻詩而已。

滄浪詩話之重點，一向皆取以下引用之語：

> 夫詩有別材，非關書也；詩有別趣，非關理也。然非多讀書，多窮理，則不能極其至。所謂不涉理路，不落言筌者上也。詩者，吟詠情性也。盛唐諸人惟在興趣。羚羊掛角，無迹可求，故其妙處，透徹玲瓏，不可湊泊，如空中之音，相中之色，水中之月，鏡中之象，言有盡而意無窮。

此節文字即「興趣說」之重要論旨，以情性爲始，求言有盡而意無窮也。至乎「羚羊掛角」，「空中之音」，與表聖「不著一字，盡得風流」可相吻合。滄浪所謂「興趣」，冀得詩味之悠遠久長，取義同乎表聖「鹹酸之外」，因其意不在語言文字，故得以如空中之音，相中之色，水中之月，鏡中之象也。

因興趣之說而有「入神」之詩觀，其言曰：「詩之極致有一，曰入神。詩而入神，至矣，盡矣，蔑以加矣。」舉「神」爲詩之極致，亦襲表聖之意，高古品言「虛佇神素」，洗鍊品言「古鏡照神」，勁健品言「神化攸同」，流動品言「超超神明」，皆足於啓示滄浪發而爲此說。滄浪詩話中，如言「須參活句，勿參死句」，「不外太著題，不必多使事」，「意貴透徹，不可隔靴搔癢」，皆可視爲入神之基，表聖之意也。

滄浪分詩之品爲九，曰高，曰古，曰深，曰遠，曰長，曰雄渾，曰飄逸，曰悲壯，曰淒婉。

陶明濬《詩說雜記》卷七釋此九品云：

「何謂高？凌青雲而直上，浮顥氣之清英是也。何謂古？金薤琳瑯，黼黻溢目者是也。何謂深？盤谷獅林，隱翳幽奧者是也。何謂遠？滄溟萬頃，飛鳥決眥者是也。何謂長？重江東注，千流萬轉者是也。何謂雄渾？荒荒油雲，寥寥長風者是也。何謂飄逸？秋天閒靜，孤零一鶴者是也。何謂悲壯？笳拍鐃歌，酣暢猛起者是也。何謂淒婉？絲哀竹濫，如怨如慕者是也。」

玩味此九品之說，實襲取表聖風格分類之旨，固不出二十四品之外也。

滄浪之後，至清有王漁洋者，上紹明七子格調之說，前襲胡應麟標舉神韻，遠承表聖、滄浪之論，以「神韻說」見稱當世。「神韻」二字胡應麟《詩藪》中最先啓用，漁洋借此而表其詩觀，《師友詩傳續錄》：「問曰：『孟襄陽詩，昔人論其格韻雙絕，敬問格韻之別？』答曰：『格謂品格，韻爲風神。』」

其神韻說仍存有明七子「格調說」之遺論，故翁方綱格調論云：「至於漁洋，變格調曰神韻，其實即格調耳。」

漁洋詩觀，《十種唐詩選》盛符升之序，以爲「直取性情，歸之神韻。」漁洋《池北偶談》引孔文谷語，曰：「詩以達性，然須清遠爲尙。」詩答問亦云：「唐詩主情，故多蘊藉。」皆足以證盛氏之說。漁洋受滄浪影響甚巨，故有得之於性情，歸之於神韻之論，其書中數度襲用滄浪用語，亦可見其服膺之誠。如〈分甘餘話〉中，舉太白「牛渚西江夜」、襄陽「掛席幾千里」詩，以爲「詩至此，色相俱空，正如羚羊掛角，無迹可求，畫家所謂逸品是也。」詩話中，引高季廸「白下有山皆繞廓，清明無客不思家」等詩，以爲「律句有神韻天然，不可湊泊者。」〈蠶尾文〉中，於滄浪將詩分爲兩大類，一曰優游不迫，二曰沈著痛快，特進一語，曰：「沈著痛苦，非惟李、杜、昌黎有之，乃陶、孟、謝、王而下，莫不有之。」《蠶尾續文》更見深契之意：「嚴滄浪以禪喩詩，余深契其說，而五言尤爲近之。如王裴輞川絕句，字字入禪。……妙諦微言，與世尊拈花，迦葉微笑，等無差別，通其解者，可語上乘。」似此之類，見其契悟之深，故表聖影響滄浪，而滄浪導引漁洋，實爲一脈相傳，以神韻爲尙。實則，漁洋於表聖之論，亦時見贊歎之辭：

若夫前引「表聖論詩有二十四品，余最喜『不著一字，盡得風流』八字。」及「『采采流水，蓬蓬遠春』二語，形容詩境亦絕妙」二句是也。又如《香祖筆記》中，曰：「新唐書如近日許道寧輩山水，是眞畫也。史記如郭忠恕畫天外數峯，略有筆墨，使人見而心服者，在筆墨之外也。右王楙野客叢書中語，得詩文三昧。司空表聖所謂不著一字，盡得風流者也。」又《帶經堂詩話》曰：「唐人五言絕句，往往入禪，有得意忘言之妙，與淨名默然達磨得髓同一關捩。觀王裴輞川集，及祖詠終南殘雪詩，雖鈍根初機亦能頓悟。程石臞有絕句言：『朝過青山頭，暮歇青山曲，青山不見人，猿聲聽相續。』予每歎絕，以爲天然不可湊泊。」其下則引其在楊州、京師之作，謂爲「皆一時佇興之語，知味外味者當自得之。」其紹承表聖之論，得以窺識矣！

稍晚，有袁隨園主「性靈說」，亦深受表聖詩品之影響，《續詩品》之作可見大概矣，如「神悟」一品曰：「鳥啼花落，皆與神通。人不能悟，付之飄風。惟我詩人，衆妙扶智。但見情性，不著文字。」〈再答李少鶴尺牘〉中亦云：「體格是後天空架子，可仿而能；神韻是先天眞性情，不可強而至。」雖主性靈，亦言神韻，所謂「不著文字」，「不可強而至」，即表聖「含蓄」「自然」等品之旨也。

至乎近世，則王國維《人間詞話》尋求「境界」，亦可視爲表聖以下諸家詩論之開拓也。《人間詞話》卷上曰：「滄浪所謂興趣，阮亭所謂神韻，猶不過道其面目，不若鄙人拈出境界二字爲探其本也。」卷下又云：「言氣質，言神韻，不如言境界。有境界，本也；氣質、神韻，末也。有境界而二者隨之矣。」又如評姜白石之詞，曰：「古今詞人格調之高，無如白石，惜不於意境上用力，故覺無言外之味，絃外之響。」因此，《人間詞話》卷上有「撫玩無極，追尋已遠」之引語，凡此皆可與表聖《詩品》同觀也。

表聖啓廸後世詩論，其功偉甚，此一脈相傳之說，影響所及，足爲中國詩論之正宗矣！

第二節　評價

詩品之評價，宋初蘇東坡首倡其議，謂：「唐末司空圖崎嶇兵亂之間，而詩文高雅，猶有承平之遺風。其論詩曰：梅止於酸，鹽止於鹹，飲食不可無鹽梅，而其美常在鹹酸之外。」以爲可以一唱而三歎也。《四庫全書總目提要》亦曰：「其持論非晚唐所及，故是書亦深解詩理，凡分二十四品，……所列諸體畢備，不主一格。」此皆屬好評者。

然有不滿表聖詩品者，如：

林昌彝《海天琴思錄》云：「詩之品何止二十四，況二十四品中相似者甚多。」

翁方綱《石洲詩話》以爲表聖「論詩入超詣，而其所作全無高韻，與其評詩之語竟不相似，此誠不可解。二十四品眞有妙語，而其自編一鳴集，所謂撐霆裂月者，竟不知何在也。」

許印芳《詩法萃編》本，於〈與李生論詩書〉後識曰：「自表聖首揭味外之旨，逮宋滄浪嚴氏，專主其說，衍爲詩話，傳教後進，初學之士無高情遠識，往往以皮毛之見窺測古人，沿襲摹擬，盡落空套，詩道之衰，常坐此病。」

表聖論詩，非晚唐詩格之作所能及，故東坡及四庫提要皆深贊其書。至乎林昌彝以爲詩品不止二十四，微責表聖，翁方綱以爲詩與詩論不盡相合，深致疑惑，未可稱爲眞正評論《詩品》之語。蓋詩之品二十四，如東坡所云，爲表聖自列其有得於詩者，其品止合二十四，正足於見表聖詩觀所在，是爲創論也。又言各品類似者甚多，此語雖是，然初見雖相似，而終有所別，此各品中敍釋已明矣。又言表聖詩與詩論不盡相合，亦未足貶其論，詩人有長於創作者，有擅於立論者，如鍾嶸、劉勰、司空圖、嚴滄浪諸人，皆善於立說，而其詩作則未臻佳妙，如杜甫、李白，王維、李義山諸人，詩作極佳而少有論述；況且，詩人之論原非爲己作而發，自有未可相合之處，所謂「眼高手低」乃人類通性，豈可獨責表聖乎？知其說之不足言論也。又，許印芳所論極是，然其病乃後人不解表聖原意而起，非詩品之失也。以上就前人論列詩品之文，給予抽樣性之再評，其說皆未深入探察《詩品》特質何在，未稱的當也。

今試列詩品之優缺點於下，吾人藉此可見詩品之價值何在。其論大抵已詳第三章各節，不另贅述：

(1)形象喻詞雖多情趣，然欠明確，如以嚴正之理論體系責求表聖，則《詩品》未足於稱爲論評之書。

(2)各品以詩之形容寫成，限於字句，則其含意未得精準，往往含糊其詞。

(3)詩品諸體畢備，不主一格，詩人得以其性格、才華、學養之所近，一展其能，各具風格，此詩家之幸。

(4)雖不主一格，然其中心思想不曾移易，重詩人主觀情思之表達，以求味外之旨，弦外之音，此論影響後人甚巨。

(5)表聖既求玄妙禪思，則其詩論中缺乏博大仁心，忽視現實，此雖「為藝術而藝術」者必坐之失，不可不謂為《詩品》一書在評價上之遺憾也。

附錄：主要參考書目

1. 舊唐書　劉昫等撰　藝文印書館印行
2. 新唐書　歐陽修等撰　藝文印書館印行
3. 司空表聖詩集　四部叢刊初編集部　商務印書館印行
4. 司空表聖文集　四部叢刊初編集部　商務印書館印行
5. 詩品新注・司空詩話　世界書局印行
6. 詩品集解・續詩品注　郭紹虞編著　香港商務印書館印行
7. 司空圖詩品注釋及譯文　祖保泉著　香港商務印書館印行
8. 詩式　釋皎然著　商務印書館印行
9. 歷代詩話　何文煥訂　藝文印書館印行

（計收詩話二十七種）

10. 續歷代詩話　丁仲祜訂　藝文印書館印行

（計收詩話二十八種）
11. 清詩話　丁仲祜訂　藝文印書舘印行
（計收詩話四十三種）
12. 詩話叢刊　弘道文化事業有限公司印行
（計收詩話五十五種）
13. 滄浪詩話箋注　胡才甫注　中華書局印行
14. 隨園詩話　袁枚著　廣文書局印行
15. 五代詩話　王士正原編鄭方坤補編　廣文書局印行
16. 文心雕龍註　劉勰著　明倫書局印行
17. 人間詞話　王國維著　開明書店印行
18. 河嶽英靈集　殷璠輯　世界書局印行
19. 中興閒氣集　高仲武編　世界書局印行
20. 苕溪漁隱叢話　胡仔編　世界書局印行
21. 詩人玉屑　魏慶之編　世界書局印行
22. 中國文學發達史　劉大杰著　中華書局印行
23. 中國文學批評史　郭紹虞著　明倫書局印行

24.中國文學批評史大綱　朱東潤著　開明書局印行
25.中國文學批評論集　朱東潤著　開明書店印行
26.中國古典文學理論批評史　郭紹虞著
27.魏晉六朝文學批評史　羅根澤著　商務印書館印行
28.隋唐文學批評史　羅根澤著　商務印書館印行
29.晚唐五代文學批評史　羅根澤著　商務印書館印行
30.其他次要參考書目多種，不予列入。

編校後記

編校《從鍾嶸詩品到司空詩品》全書完竣，已是民國八十年文藝節了，距離此書各章撰述之日剛好二十年。這二十年，我放下中國歷代詩話的研究工作，傾心於臺灣現代文學的創作與考察，孳孳矻矻，不敢一日或懈，其中甘苦備嘗，是得是失，已經不是我自已所能置言了！

民國五十九年進入師大國文研究所碩士班讀書，一心只想把歷代詩話加以爬梳整理，建樹嚴謹的中國詩學體系，在恩師　盧元駿先生的指導下，撰寫碩士論文「司空圖詩品研究」，從六十年年底開始撰稿，以六個月的時間完成，六十一年六月，經評審教授黃永武先生等人評定爲「八十七分」，通過學位考試，全文除分章發表在當時爲梅新先生主編的「中華文化復興月刊」第六卷各期外，並獲得登載於該年度師大「國文研究所集刊」的殊榮。換句話說，「司空圖詩品研究」曾兩度公開發表，對我來說，兩年的研究心血沒有白流。

今天所以詳述碩士論文發表的經過，實在是因爲坊間有一本書叫《司空表聖研究》，出版於民國六十七年六月，該書第三編第五章「詩品體系之探賾」與第六章「詩品之影響與評價」，其寫作之方式、用詞，實在太像我「司空圖詩品研究」第三章第二節「詩品體系探討」，與第四章「詩品之影響與評價」的內容。如果我不說明論文發表的時間早在六十一年，我怕朋友會責我爲什麼抄襲別人的著作，因而縷陳實情如上，要怪就怪我荒疏詩話研究太久了！

至於「上編」的「從鍾嶸詩品到司空詩品」各篇論文，寫作時間也在六十年與六十一年間，是碩士論文的副產品，發表於羊令野先生主編的「詩隊伍」（「青年戰士報」專刊），當時專輯的名字叫「中國歷代詩話述評」，多麼龐大的計畫啊！只可惜完稿這七篇而已，所幸這七篇論文都與司空圖《詩品》息息相關，彙整在一起，剛好可以看出南北朝到晚唐五代的詩論專書，如何開啓了北宋《六一詩話》之後的繁茂枝葉。

一直到今天，都還有人問及爲什麼選擇司空圖《詩品》做爲研究對象，在碩士論文的序言中，我曾這樣說：

「於盛唐諸家，特愛右丞，豈以其味高韻遠所致耶？彼實未知也。但覺一片清空，悠然而至，知其有人間世，而又疑非人間世，廻環朗誦，竟日不忍釋手者蓋數數矣！

及長，耽於思考，乃好詩話之作，廣事搜羅，醉心尋繹，林林總總，而獨於表聖《詩品》，深慶獲衷。蓋詩者，其始雖以調平仄、鍊字句爲先，其終則以得神韻，出境界爲尙，今考表聖詩品，一以『韻外之致，味外之旨』貫串其間，其玄其妙，歎爲觀止，遂開後世『詩以意會』之途，而二十四品，實乃二十四種風格，表聖於此時立新規，創新義，雖體系未稱謹嚴，而用意頗符詩旨，因決意探其原委，闡其蘊藉，窺其旨歸，察其餘響，期能識其妙而發其玄，究其旨而張其學耳。」

未來，在研讀歷代詩話與觀察現代詩作之間，如何調整、融合、歸納，恐怕又是另一個二十年的奮鬥了，請朋友積極督責我。

蕭蕭 謹白

一九九一年五月